INTRODUÇÃO
AO
PENSAMENTO FILOSÓFICO

KARL JASPERS

INTRODUÇÃO AO PENSAMENTO FILOSÓFICO

Tradução
LEONIDAS HEGENBERG
e
OCTANNY SILVEIRA DA MOTA

Editora
Cultrix
SÃO PAULO

Título original: *Kleine Schule des Philosophischen Denkens.*

1ª edição 1971 (catalogação na fonte 2011).

19ª reimpressão 2023.

Revisão: Rafael Varela e Yociko Oikawa

Diagramação: Join Bureau

Dados Internacionais de Catalogação na Publicação (CIP)
(Câmara Brasileira do Livro, SP, Brasil)

Jaspers, Karl, 1883-1969.
Introdução ao pensamento filosófico / Karl Jaspers ; tradução Leonidas Hegenberg e Octanny Silveira da Mota. – São Paulo: Cultrix, 2011.

Título original: Kleine Schule des philosophischen Denkens.
16ª reimpr. da 1. ed. de 1971.
ISBN 978-85-316-0209-2

1. Filosofia I. Título.

11-04913 CDD-100

Índices para catálogo sistemático:
1. Filosofia 100

Direitos de tradução para a língua portuguesa adquiridos
com exclusividade pela
EDITORA PENSAMENTO-CULTRIX LTDA.
Rua Dr. Mário Vicente, 368 - 04270-000 - São Paulo, SP
Fone: (11) 2066-9000
E-mail: atendimento@editoracultrix.com.br
http://www.editoracultrix.com.br
que se reserva a propriedade literária desta tradução.
Foi feito o depósito legal.

SUMÁRIO

IV. O HOMEM

V. O DEBATE POLÍTICO

VI. A POSIÇÃO DO HOMEM NA POLÍTICA

VII. CONHECIMENTO E JUÍZO DE VALOR

VIII. PSICOLOGIA E SOCIOLOGIA

IX. A OPINIÃO PÚBLICA

X. OS ENIGMAS

XI. O AMOR

XII. A MORTE

XIII. A FILOSOFIA NO MUNDO

PREFÁCIO

Quando a Rádio Baviera me dirigiu convite para pronunciar, através da televisão, uma série de conferências semanais a propósito de filosofia, fui tomado de surpresa. Que audácia por parte da rádio e que desafio para o conferencista! Não hesitei. A filosofia se destina ao homem e a todos diz respeito. Como título para as exposições propus "Introdução ao Pensamento Filosófico".

Iniciação – isso não significava que eu fosse falar acerca de trivialidades filosóficas, nem que fosse fornecer informações simples, a fim de preparar o ouvinte para atividade no campo filosófico. Não existem aquelas trivialidades ou estas informações simples. Tão logo se filosofa, entra-se em contato com os grandes temas da filosofia. E se isso não acontece é porque da filosofia se está longe. A palavra iniciação alude apenas à brevidade do texto: a atenção girará em torno de ideias verdadeiramente filosóficas.

Pensamento – não se tratava de ensinar algo que, depois, estaria conhecido. Não se tratava de transmitir conhecimentos elementares. Tratava-se, antes, de percorrer certas trajetórias do pensamento, na esperança de produzir no ouvinte (ainda que de experiências filosóficas, até então, apenas inconscientes) o sobressalto que nos dá súbita compreensão daquilo a que a filosofia se refere.

Filosófico, enfim. Quer isso dizer que importa conduzir o pensamento empírico e racional até seus limites extremos, até o ponto em que revela suas origens. No caso, método não significa aprendizado de operações de lógica formal ou de análise de linguagem, que são úteis mas não de natureza filosófica. O objetivo do pensar filosófico é levar a uma forma de pensamento capaz de iluminar-nos interiormente e de iluminar o caminho diante de nós, permitindo-nos apreender o fundamento onde encontremos significado e orientação.

A meia hora de programação semanal reclamava que, de cada vez, fosse feita exposição completa de uma questão. Escolhi (dentre muitos outros possíveis) treze temas:

Pontos de Partida

I. O Universo e a Vida
II. A História e o Presente
III. O Conhecimento Fundamental
IV. O Homem

Em Torno da Política

V. O Debate Político
VI. A Posição do Homem na Política
VII. Conhecimento Empírico e Juízo de Valor
VIII. Psicologia e Sociologia
IX. A Opinião Pública

Âncoras na Eternidade

X. Os Enigmas
XI. O Amor
XII. A Morte

Conclusão

XIII. A Filosofia no Mundo

Nas exposições, parto de experiências sensíveis, de realidades da natureza ou da vida, de tradições, caminhando, em cada caso, até as fronteiras que marcam o surgimento de questões a que a ciência não responde. Aí, diante do ser, vemo-nos presa do espanto; e indagamos de nós próprios acerca do sentido e missão de nossa existência.

As conferências não mantêm entre si liame tal que se ponha cada uma delas como sequência da anterior. Cada qual, à sua maneira, começa do começo. Todas se dirigem para um centro comum que não poderíamos considerar exatamente como tema. Essa orientação geral lhes confere unidade.

A filosofia é universal. Nada existe que a ela não diga respeito. Quem se dedica à filosofia interessa-se por tudo. Mas não há homem que possa tudo conhecer. Que distingue a vã pretensão de tudo saber do propósito filosófico de apreender o todo? O saber é infinito e difuso; dele se valendo, procura a filosofia aquele centro a que fazíamos referência. O simples saber é uma acumulação, a filosofia é uma unidade. O saber é racional e igualmente acessível a qualquer inteligência. A filosofia é o modo de pensamento que acaba por constituir a essência mesma de um ser humano.

Em torno desse modo de pensamento é que estas conferências pretendem girar. Abertas para o real, seja o real o que for, tentam essas exposições descobrir o caminho que leva do real ao fundo das coisas, buscam, a partir desse fundo, lançar luz sobre as realidades. Tal a razão por que o problema reside em dar o salto em direção desta outra maneira de pensar.

Conquanto de objetivo elevado, devem ser simples as conferências. Do oceano de conhecimentos, utilizaremos tão somente pequenas gotas. E não inalaremos senão umas poucas porções do ar da imensa atmosfera filosófica.

Essas metáforas pretendem significar o seguinte: para que a seiva do conhecimento se transforme em alimento espiritual, importa que esteja presente não apenas a inteligência, mas, em sua plenitude, o homem que, pensando, apresa aquele conhecimento. E, para fazer-se revigorante, o ar puro das regiões filosóficas há de constituir-se na realidade que se vive e se respira.

A ideia pode suscitar no ouvinte o desejo de assim proceder. O simples desejo, entretanto, nada significa. A cada indivíduo cabe dar o passo que leva do simples ouvir à participação direta. Ao longo das presentes conferências, enfrentaremos, repetidamente, problemas que se colocam no limite do lógico e do empírico. Começaremos por acolher as respostas dadas. Nenhuma será a última. Cada qual conduzirá a novas indagações, até que a indagação final tenha o silêncio como resposta – e não por ser uma indagação vazia. Surge o silêncio que não é o abrigo do nada, mas onde a própria essência do homem encontra meios de falar-lhe através de seu eu mais íntimo, através de suas necessidades, da razão, do amor.

KARL JASPERS

Basileia, outubro de 1964.

INTRODUÇÃO
AO
PENSAMENTO FILOSÓFICO

I

O UNIVERSO E A VIDA

1. Somos testemunhas de um tempo em que o conhecimento do universo e da vida conseguiu surpreendente progresso; somos testemunhas também de acontecimentos que impedem o homem de ignorar as conquistas alcançadas. Lembrarei dois desses acontecimentos.

Em 1919, imediatamente após a Primeira Guerra Mundial, em meio às chagas produzidas pelas hostilidades, manifestou-se um evento que dizia respeito ao homem como homem. Quando de um eclipse do sol, ocorrido no hemisfério sul, uma expedição organizada pelos ingleses conseguiu realizar observações tecnicamente difíceis. As medidas feitas comprovaram o acerto de afirmações até então aparentemente fantásticas, devido a um sábio alemão, Einstein; a partir do mesmo evento se pode inferir a exatidão parcial de uma teoria que sustentava, entre outros pontos, não ser o universo um espaço de três dimensões, mas espaço curvo, sem limites, embora finito. Os especialistas conheciam a teoria da relatividade; as pessoas instruídas dela haviam, por vezes, ouvido falar e a consideravam como um *jeu d'esprit*. E, de um momento para outro, não mais se tratava de especulação, mas de algo experimentalmente provado. Espanto insólito apoderou-se de todos. A natureza do universo é, com efeito, problema que nos interessa na liberdade gloriosa de nossa vontade de conhecer. Sentiu-se que evidências longamente admitidas perdiam significado. A humanidade orgulhava-se da ciência e daí retirava uma alegria geral, despida de egoísmo.

Em 1945, bombas tombaram sobre Hiroxima e Nagasáqui. De há muito se haviam comentado as ideias de Einstein: a matéria dos átomos encerrava uma energia diante da qual pareceriam ridículas todas as energias que a técnica pudera produzir. Desconhecia-se, entretanto, a maneira de libertar a energia do átomo. Em consequência, aquelas ideias eram aparentemente vazias de interesse prático. Dizia-se: "estamos sentados sobre um vulcão que jamais entrará em atividade". Ainda no decurso da Segunda Guerra Mundial, um célebre físico alemão concluía, por meio de cálculos, ser impossível a fabricação de bombas atômicas; nesse mesmo instante, europeus emigrados para os Estados Unidos da América estavam fabricando as mesmas bombas. Repentinamente, caindo sobre Hiroxima, a bomba atômica tornou-se uma realidade. De início os cientistas alemães recusaram-se a acreditar nas informações. Em seguida, todos os capazes de compreender viram-se tomados de horror. O orgulho pelo poderio científico deu lugar ao temor diante do que surgia.

2. Após esses dois acontecimentos, as novas concepções a respeito do universo e da matéria impuseram-se irresistivelmente.

O universo revela-se a nossos olhos, graças a telescópios cada vez mais poderosos, e apresenta-se-nos da forma seguinte: a Via Láctea está povoada de bilhões de sóis; há milhares de outras vias lácteas, as nebulosas; e sabemos que a mais próxima de nós, a que podemos divisar com a vista desarmada, a Nebulosa da Andrômeda, não passa de uma dentre os milhares de nebulosas invisíveis a olho nu.

Sob este ponto, entretanto, tudo se mantém conforme as ideias que tínhamos acerca do mundo: a diferença, embora enorme, é apenas quantitativa. O que há, porém, de inusitado e fora de proporção a qualquer precedente, é o fato de esse universo sensível corresponder tão somente ao primeiro plano do universo real, que só pode ser pensado. Mas não representado. Que só é acessível através de fórmulas matemáticas e, ainda assim, de caráter provisório. De início, Einstein concebeu o universo como um espaço curvo, finito mas ilimitado, de dimensões suscetíveis de cálculo. Posteriormente, esse universo tornou-se um mundo em perpétua expansão, um mundo cuja origem no tempo era impossível determinar. Essas hipóteses matemáticas enchem-se de sentido quando possível corroborá-las pela observação e pelas medidas, mas tornam-se indiferentes quando impossível comprová-las por meio de novas observações. Todo aquele que promove o avanço de uma ciência vê-se a braços com dificuldades intransponíveis. Não há como fazer prova científica e definitiva de qualquer dessas matemáticas e abstratas concepções do universo como um todo. O caminho que leva ao conhecimento do universo perde-se, por assim dizer, no infinito.

Como a do universo, também a visão que tínhamos da matéria modificou-se por força de descobertas irrefutáveis. A descoberta da radioatividade, no último decênio do século XIX, e a análise do átomo já representaram, para os especialistas, uma revolução intelectual. Os átomos cuja existência se comprova com evidência maior que a conseguida anteriormente – continuam a existir, mas, longe de se constituírem nas partículas elementares últimas, compõem-se de elementos ainda menores: prótons, nêutrons, elétrons etc. E impôs-se rever inteiramente a concepção que se fazia da matéria.

Antes de tudo, deixaram de existir partículas elementares últimas. Quando empregamos termos concretos, como onda e corpúsculo, termos contraditórios no plano de representação, estamos, em verdade, pensando em termos complementares e não contraditórios, só apreensíveis no plano da matemática. Em segundo lugar, continua-se a efetuar o descobrimento de novas partículas "elementares" (mésons, etc.), sem atingir as últimas e menores partes da matéria. Há alguns anos, experiências realizadas na Universidade de Stanford conduziram aos seguintes resultados: os prótons não são partículas elementares, mas, diversamente, estruturas onde está presente um núcleo de alta densidade, rodeado por uma nuvem de mésons. Em consequência, alguns físicos imaginam que talvez jamais se atinja o fundo íntimo da matéria, sendo sempre descobertas novas subdivisões das partículas elementares. Em outras palavras, isso corresponde ao colapso da ideia de que a matéria constitui o fundamento obscuro de tudo quanto existe. Ao contrário, a matéria se abre para a pesquisa *ad infinitum*; não mais é concebida como substância primária. Todos os corpos são aparências e não realidades fundamentais. A essência da matéria permanece indefinida.

3. O universo e a matéria projetam nosso conhecimento do mundo para os infinitos; o primeiro, para o infinitamente grande, sempre em expansão; o segundo, para o infinitamente pequeno, sempre em contração. Mas, com isso, o mundo não se esgota: o universo inclui a Terra, grão de poeira perdido na imensidade, diminuta porção de matéria sobre a qual vivemos. Esse é o nosso mundo, onde vivem plantas e animais, onde se desenvolvem as paisagens, ocorrem fenômenos meteorológicos e existe a abóbada celeste; e onde aparecemos também nós, os homens. Enorme – tanto que, a ele comparado, tudo quanto se descreveu é nada – o universo, segundo sabemos, não passa de um deserto onde se move, vazia de sentido, a massa da matéria sem vida.

Contudo, se nosso mundo, este mundo esplêndido e cruel, está ligado à matéria, é infinitamente mais do que ela e não pode ser compreendido a partir dela.

Desse mundo a ciência construiu uma visão radicalmente nova. Exemplifiquemos: desde a antiguidade, acreditava-se numa grande unidade, brotada de uma hierarquia dentro da qual um estágio decorria logicamente do anterior: matéria inerte, vida vegetal e animal, psiquismo, consciência psicológica, pensamento. Desde que se concebeu a ideia de evolução no tempo, essa bela unidade de conjunto permitiu que se visse a história terrestre e universal como um panorama apaixonante, onde o homem ocupava a posição mais alta. Hoje em dia, não mais se crê nessa unidade. O que sucede não é decorrente do que precede: dele está separado por um salto. Os níveis da hierarquia não se explicam um pelo outro, e nenhum deles se explica por si mesmo. Falta um princípio unificador de todas as coisas.

Entretanto, após haver destruído essas vagas concepções de unidade, a ciência fez ressurgir a unidade sob novo aspecto: através do conhecimento das relações que ligam os diversos níveis, conhecimento que, em nossos dias, tem progredido constantemente. Aqui, falarei apenas de relações entre a matéria inerte e a vida.

No século XIX, provou-se que, na natureza, toda vida provém da vida – *omne vivum ex ovo*. A geração da vida a partir da matéria, a transição do não vivo ao vivo, até então admitidas, revelaram-se ilusão. Mas, ao mesmo tempo, descobria-se meio novo de transpor o abismo. A partir do não orgânico, puderam os químicos fazer surgir, em laboratório, sinteticamente, corpos orgânicos, até então somente produzidos pela vida – e, dentre estes, o primeiro a ser obtido foi a ureia, em 1828. Daí brotou a química orgânica moderna. Foram descobertos numerosos corpos orgânicos, inclusive as complexíssimas moléculas de albumina – mas todos esses corpos sem vida.

Não obstante, são muitos os que não deixam de acreditar surja o dia em que será possível criar a substância viva, criar a vida mesma, a partir da matéria. Isso, porém, é impossível. A vida não é apenas substância altamente complexa, mas também corpo vivo. Tem este uma estrutura morfológica suscetível de análise ao infinito; não é máquina físico-química que, se possível de ser construída, seria necessariamente finita. E a vida não é apenas corpo vivo, mas existência, que implica uma intimidade (o ser considerado) e uma exterioridade (o meio, o mundo) e existência sobre a qual a vida age. Os aparelhos orgânicos, seu quimismo finalista, os órgãos dos sentidos são produzidos pela vida, mas ainda não são a vida mesma. Os cientistas descobrirão e produzirão formas biológicas não sonhadas, porém serão sempre incapazes de criar a vida.

O próprio saber torna modestos os grandes cientistas. Mesmo quando avançado no caminho dos conhecimentos do universo e do átomo, Einstein jamais se tornou imune ao mistério da vida. Em 1947, refletindo acerca de seu corpo doente, escreveu: "Espanta-me que este mecanismo incrivelmente complexo seja capaz de funcionar". Sentia ele "quão lamentavelmente primitiva é toda a ciência de que dispomos". Em 1952, registrou: "Quando vejo um minúsculo inseto pousar no papel em que faço cálculos, tenho desejo de exclamar: 'Alá é grande, e com toda a glória de nossa ciência não passamos de micróbios miseráveis'."

Mas ele não dá voz ao mais profundo dessa atitude. Mesmo Einstein permanece filosoficamente prisioneiro do princípio segundo o qual tudo quanto existe mantém correspondência com uma ordem matemática e é basicamente suscetível de ser apreendido, de maneira total, por meio da matemática. Mesmo Einstein sustenta que, em potência, a vida já reside no átomo, que "o mistério do todo está implícito no nível mais baixo". Por que não o atingimos? Porque a matemática deixa de ser útil quando nosso pensamento penetra em profundezas mais obscuras. Com efeito, o estado atual da matemática não permite "chegar pelo cálculo, ao que está implícito nas equações fundamentais". Para

Einstein, portanto, o mistério não está na realidade mesma, porém, naquilo que a matemática não permite resolver.

Nós, entretanto, repetimos com Kant: se existe a unidade da vida (que permitiria compreender como a vida brota do inerte), essa unidade permanece inatingível, no infinito. Realizando surpreendentes descobertas *in partibus*, a ciência de nossos tempos não faz senão adensar o mistério *in toto*.

4. As pesquisas científicas, embora não sendo em si mesmas filosofia, criam para a filosofia determinada situação. Provinda de outra origem, a filosofia toma forma na situação científica do momento, que ela apreende e faz progredir.

Na situação de nosso tempo, a novidade está em que a pureza da pesquisa científica se faz tão possível e necessária como a clara compreensão da própria origem da filosofia. Contentar-me-ei com lançar os olhos às consequências da inexistência de uma transparente concepção da natureza.

Primeiro: até agora, pura e simplesmente se aceitava a totalidade do existente: era o mundo. Hoje, estamos afastados da ideia de uma imagem do mundo universalmente válida. O mundo se fragmentou.

Se afirmamos: o mundo é matéria, da qual procede tudo quanto nela está implícito (vida, intimidade, consciência e pensamento), essa afirmação, em virtude dos novos conceitos de transição e evolução, assume os matizes de um discurso vazio pretendendo mascarar os saltos. E coisa diferente não acontece quando se pretende explicar o mundo a partir da vida, do espírito e do pensamento. Aspectos do universo não captam a totalidade do mundo; cada qual deles diz respeito a um pormenor, não ao todo. Diante do problema do mundo como totalidade a ciência se detém. Pelo conhecimento científico, o mundo é visto como um conjunto de fragmentos e quanto mais numerosos esses fragmentos, mais acurado aquele conhecimento.

Sem embargo, liberação de obsoletas visões do mundo conduz a ciência para uma visão nova, supostamente científica e que sacrifica nossa liberdade muito mais do que qualquer das precedentes.

Segundo: o mundo se desmisticizou. Ciência e técnica nos libertaram da magia e tornaram infinitamente mais fácil a vida material no seio da natureza. Recorrer a processos mágicos é não só desarrazoado na prática, mas falta de lealdade: o homem trai a própria razão.

A desmisticização do mundo gerou, entretanto, uma pervertida atitude de espírito estimulada pela tecnologia. Quando ligamos a luz ou o rádio, quando dirigimos um automóvel, não conhecemos com profundidade os processos que colocamos em operação.

Aprendemos o manejo do objeto, sabendo apenas que os processos não se desenvolvem por mágica, mas graças a conhecimentos científicos. Entendemos, a partir daí, que o mesmo esquema se aplica a todas as coisas existentes e dizemos: se ainda resta muito por compreender, tudo é, no fundo, integralmente inteligível. É certo, digamos, que a ciência ainda não pode criar seres vivos – homens, por exemplo –, mas um dia os criará.

Que se passou? O velho pensamento, pré-científico, cedeu o passo a uma forma de pensar despida de ideias, quase mágica. A liberação da magia no domínio da ciência e da técnica destruiu as realidades do mundo cotidiano devido a sua indiscriminada aplicação a tudo quanto existe. Nas impressões suscitadas pela paisagem ou por lugares a que nos ligou o destino, no apreender a infinita riqueza dos fenômenos, no adquirir consciência de uma natureza multifacetada, experimentamos algo que está longe de ser irreal e que não podemos desprezar como simples impressão subjetiva.

Vivemos na realidade como em um mundo de enigmas que se conflitam. Desmisticizando os fenômenos, o conhecimento científico só consegue, por contraste, tornar mais clara e mais rica a ação desses enigmas. A ciência não pode criá-los, nem destruí-los.

Demos um exemplo de luta no mundo desses enigmas. Tomemos o enigma "Deus". Ele criou o mundo. Uma das formas de apresentar o enigma consiste em dizer que Deus é um matemático e criou o mundo por pesos e medidas. Consequentemente (como talvez dissesse Einstein) podemos, pelo pensamento, recriar o mundo. Eis, porém, um mais profundo enigma que se opõe ao primeiro: Deus criou o mundo, em seu conjunto, de maneira incompreensível para nós; nesse mundo pôs a matemática e fez do homem um matemático. A matemática não esgota o mundo, sendo apenas um elemento da natureza e uma das formas de conhecimento do homem (como pensava Nicolau de Cusa).

Um segundo exemplo: as concepções do mundo com que os homens já viveram são sem valor para a ciência, mas, como conjuntos de enigmas, essas concepções conservam significação permanente. Alturas e profundezas, sentido de ascensão e de queda, céu e terra, éter luminoso e abismos escuros, deuses olímpicos e abissais – sempre os vemos diversamente, mesmo nos dias de hoje. Mas a falsa desmisticização trouxe ao homem cegueira de alma.

Terceiro: os fenômenos do mundo são inteligíveis. Onde quer que a ciência penetre, novos inteligíveis se manifestam, brotados do espanto e geradores de um novo espanto. A ciência autêntica se contenta com apreender o possível, avança rumo ao infinito, sem, entretanto, perder noção das próprias limitações.

Começa a infelicidade do gênero humano quando se identifica o cientificamente conhecido ao próprio ser e se considera não existente tudo quanto foge a essa forma de conhecimento.

A ciência dá então lugar à superstição da ciência, e esta, sob a máscara de pseudociência, lembra um amontoado de extravagâncias onde não está presente ciência nem filosofia nem fé.

Jamais foi tão urgente distinguir entre ciência e filosofia, jamais essa tarefa se apresentou como tão urgentemente necessária no interesse da verdade quanto se apresenta em nossos dias, quando a superstição da ciência parece atingir o apogeu, e a filosofia se vê ameaçada de destruição.

As aberrações que nos afastam da ciência pura e das primeiras fontes de filosofia comprometem nossa consciência do ser. Esta se torna função vazia de uma existência que tem de si mesma concepção e experiência abstratas. Ela se falsifica engendrando uma visão do mundo, que se reduz a percepção de superfície; ela se falsifica na desmisticização, e traz a desolação como atitude fundamental diante da vida; ela se falsifica, enfim, transformada em superstição científica e toma a forma de um comércio com as coisas que torna invisível a natureza mesma dessas coisas. Esses desvios fecham-nos o caminho da filosofia. A missão da filosofia é romper essas barreiras e trazer o homem de volta a si mesmo.

5. Recapitulando:

Estamos no mundo, mas nunca temos, como objeto, a totalidade do mundo.

Os fenômenos devem ser explorados ao infinito.

Aos olhos de nosso conhecimento, o mundo não aparece como unidade inteiriça, mas fragmentada: rompeu-se. A ciência é orientada por ideias de unidade, válidas em províncias particulares do mundo, mas, até o momento, não há um conceito de unidade global do mundo que se tenha mostrado cientificamente fecundo.

Impõe-se compreender o mundo a partir dele mesmo e não da matéria, da vida, ou do espírito. Uma realidade incognoscível precede a possibilidade de conhecer e não é alcançada pelo conhecimento. Para o tipo de conhecimento de que dispomos, o mundo é insondável.

Tudo isso põe fronteiras às cogitações científicas, mas não ao tipo de pensamento que tem sua origem filosófica em nossa existência. Por exemplo: a unidade da natureza universal, do Um-Total que repousa em si mesmo é experiência possível para uma percepção religiosa do mundo. Considerando, ao mesmo tempo, todas as coisas e tudo o que é particular ou individual, essa percepção religiosa descobre no mundo uma linguagem cifrada. Os caracteres enigmáticos dessa linguagem nada são para a ciência, que não os pode provar nem refutar.

II

A HISTÓRIA E O PRESENTE

1. Tal como o do universo, o conhecimento da História conseguiu, recentemente, progresso gigantesco. Escavações descortinaram a nossos olhos mundos ignorados. Daí nos falam textos e línguas desconhecidos. Pinturas em cavernas, esculturas e utensílios nos esclarecem a respeito de eras que ignoraram a escrita. Esqueletos humanos, velhos de centenas de milhares de anos, provaram que o homem já existia em épocas tão recuadas que, face a elas, parece breve a História por nós conhecida.

Eis o panorama empírico da História: por dezenas de milhares de anos, talvez muito mais, estendeu-se a Pré-história e viveu a humanidade sem domínio da escrita. À Pré-história seguiu-se um período de aproximadamente seis mil anos de História documentada. As primeiras grandes civilizações – as da Mesopotâmia, Índia, Egito e China – desenvolveram-se em pequena porção do globo que se estende, cortada por desertos, do Atlântico ao Pacífico. Somente entre os anos 800 e 200 a.C. foi que se produziram, quase sem ligações entre si, na China, Irã, Índia, Palestina e Grécia (mas não na Mesopotâmia ou no Egito) os eventos de ordem espiritual responsáveis pela criação da atmosfera ainda por nós respirada. Foi então que se colocaram as grandes questões religiosas e filosóficas e foi então que se propuseram respostas que, ainda hoje, a nós se impõem. Há razão para dizer que essa época foi o fulcro da História do mundo. Dela partiram três ramificações que se desenvolveram, paralelas, na Índia, na China e no Ocidente. Até 1440, muito se assemelharam os gêneros de vida, os meios técnicos e os métodos de trabalho dessas três civilizações. Somente depois, somente entre nós e somente na Europa teve início a idade da técnica: racionalização de tudo: ciência empírica pura, que não se deixou perturbar por nada que lhe fosse estranho; tecnologia metodicamente inventiva, em progresso incessante. Revolução desconhecida de toda a História anterior, acelerou o domínio sobre a natureza e a produção de bens tornando possível, através do navio, do avião e do rádio, a comunicação em plano mundial. Os europeus se fizeram exploradores e descobridores; todos os demais homens foram descobertos. Assim, a idade da técnica envolveu toda a humanidade e fez surgir a História propriamente universal, que anteriormente inexistiu.

Surpresa se apossa de nós: após a lenta aparição da vida sobre a Terra, após o breve período durante o qual o homem existe, o minuto de seis mil anos que é a História e, agora, estes segundos de unidade da História introduzidos pela idade da técnica.

Talvez que em nenhuma época anterior o homem tenha experimentado tão urgente necessidade de tomar consciência da singularidade de sua posição no quadro da História Universal: de onde viemos? para onde vamos? e por quê? No instante em que vivemos tudo se encerra, ou é ele o começo de algo em condições radicalmente novas?

2. Vista de Sirius, nossa História é um milagre. O já ocorrido e o que está ocorrendo em nosso planeta, num canto remoto de uma galáxia entre bilhões de outras, num momento fugaz – haverá ocorrido em qualquer outro ponto? Ou seremos os únicos seres inteligentes?

Não dispomos do menor indício da presença de outros seres racionais no universo. Essa presença, que teríamos por natural, pode ser questionada com base em boas razões. Antes de tudo: as condições físicas e químicas apresentadas pela Terra – condições indispensáveis à vida – correspondem a combinação incrivelmente complexa de possíveis estados da matéria, oferecendo margem estreitíssima de tolerância, que a vida não poderia transpor sob pena de imediatamente cessar. Ignoro se é possível calcular o grau de probabilidade de ocorrência do conjunto dessas condições. Seria possível mais de uma vez o acidente chamado vida? Por outro lado, ainda que a vida fosse fenômeno repetido, levaria sempre ao surgimento de seres pensantes? Por quinhentos milhões de anos houve vida na Terra e só entre meio e um milhão de anos atrás é que apareceu o homem ou apareceram seus ancestrais. Teriam os seres pensantes – nós homens – surgido apenas uma vez no universo? Não o sabemos.

Trata-se de uma questão de fato que, em princípio, é possível equacionar, mas que só a experiência poderá responder. Livres para opinião, hesitamos entre as duas respostas possíveis. Até agora, a experiência a que aludimos não teve lugar. Visões cósmicas em que se pintam seres pensantes presentes por toda parte e relacionando-se entre si podem ser impressionantes, mas não passam de ficção.

Estamos sós em um universo de matéria inerte, com suas metamorfoses, movimentos, explosões e variedades. O universo não necessita de nós. Imenso como é, o universo permaneceria o mesmo, ainda que viesse a desaparecer este grão de poeira que é a Terra e, com a Terra, os homens. O universo não existe para nós. Platão, Nicolau de Cusa, Kant ensinaram a contemplar o universo como tal, e não como algo criado para os homens. Longe de ser nosso domínio, é ele, talvez, o objeto de nosso temor sagrado.

Como do universo não conhecemos senão a exterioridade e a natureza material, balouçamos entre o espanto e a indiferença. Podemos, contudo, alterar a escala de proporção entre o universo imenso e este planeta minúsculo, dizendo que nosso mundo se faz grandioso em razão da substância de nossa História, na qual o conhecimento do Cosmos (conhecimento cambiante) figura para sempre como elemento de nosso espírito.

3. Nossa História não é uma história da natureza. Não podemos entendê-la como continuação do evolver do universo e da Terra ao longo do tempo ou como prolongamento da aparição de seres vivos sobre o planeta. Nossa História é de natureza fundamentalmente diversa. Despida de consciência ou repetição invariável ao longo dos tempos, a história natural se estende por milhões e milhões de anos. Cotejada com ela, nossa História é de duração brevíssima. Sem que o substrato biológico seja alterado, a História se altera de geração para geração. Compõe-se de ações, tradições e memórias conscientes. O contato com o universo e com a natureza nos lança a Terra estranha, põe-nos face a alguma coisa que é alheia e indiferente a nós. Quando passamos à História, estamos "em casa". É como se nossos ancestrais nos chamassem e nós lhes respondêssemos. A partir da natureza permanente do homem, produzem-se os fenômenos históricos que nunca se repetem de forma idêntica.

4. A História é a ação de nossos antepassados, que nos trouxeram até o ponto de onde prosseguimos incansavelmente. Desde tempos imemoriais, os homens se informavam a respeito da História recorrendo à lenda e ao mito; desde a invenção da escrita, a informação brota do registro de experiências e ações, registro que as livra do olvido. A História, como ciência, tem propósito diferente. Desejamos saber o que efetivamente se passou. Em consequência, apegamo-nos às realidades ainda presentes ou a suas fontes: documentos, relatos de testemunhas,

monumentos, realizações técnicas, produções artísticas e literárias. Percebemo-las através dos sentidos, mas isso há de fazer-se de forma que patenteie o sentido intencional nelas contido. A ciência estende-se até o ponto em que sejamos capazes de corretamente compreender os tangíveis registros do passado e até o ponto em que possamos verificar a correção dos testemunhos que nos oferece.

Pela pureza de seu conteúdo, a ciência se distingue dos mitos e da história sagrada. Os documentos da história sagrada não atestam fatos, mas convicções do estilo "acreditamos que..." Se fôssemos incréus não teríamos constatado, mesmo testemunhando os acontecimentos, aquilo que os crentes atestam.

Como toda ciência, a ciência histórica tem seus limites. A enorme expansão do saber humano em direção ao passado e a regiões até agora desconhecidas levou-nos a extrapolar e a afirmar que atingiríamos as origens da História. Ora, a ciência nos ensina a modéstia diante do mistério. Por certo, não caberia dizer hoje que jamais penetraremos em períodos ainda virgens, dos quais só conhecemos raros indícios esmaecidos. Mas todo começo, inclusive o de um *novum* na História, põe-nos em confronto com a obscuridade em cujo seio a origem permanece inacessível ao espírito.

Há um outro limite da História: não percebemos o conjunto da História como um todo lógico. A ciência empírica da História sempre se põe frente ao azar. Tal é a característica essencial de seu objeto.

5. Tornemos à situação histórica atual. Dos pontos de vista político, social, científico, técnico e espiritual, vimos assistindo mutações tão radicais que Alfred Weber pôde falar do fim da História tal como a conhecemos até agora.

O que vier adiante continuará a ser História no sentido a que estávamos habituados? Continuará a criatividade a manifestar-se no domínio espiritual ou se restringirá ao setor da tecnologia? A fé dará sentido à vida humana ou a superstição virá obscurecê-la? O homem sofrerá modificações a ponto de não mais nos reconhecermos nele? Cessarão de ser compreendidas as espiritualidades do Ocidente, da China e da Índia? Terminará tudo pelo suicídio atômico?

Ou, pelo contrário, só agora se estão abrindo para o Homem as grandes oportunidades? Caminhamos para a paz mundial? Será esta conseguida, em termos de liberdade, por meio de alianças entre Estados soberanos ou decorrerá da dominação do mundo pelo poder do terror? Ocorrerá como ocorreu até agora, que o inesperado, o criativo, o miraculoso conduzam a uma nova humanidade que encerre em seu bojo o passado milenar? Nova fé passará a sustentar o homem? Nenhuma dessas indagações pode ser respondida.

6. Examinarei apenas uma das questões levantadas: a consciência, hoje comum, da possibilidade da autodestruição humana. Tudo parece apontar, em sinistra evidência, para o desaparecimento do homem.

A transformação da existência humana em um processo de produção e consumo resulta em uma aceleração crescente da troca de bens. Todas as coisas – habitação, vestuário, mobiliário, economias – assumem caráter efêmero. Vemo-nos compelidos a viver o instante que passa. Poupar é encarado como estupidez. Referindo-se a medidas, talvez inúteis, para combater a inflação que se insinua por todos os flancos, um economista sentiu-se autorizado a dizer: "Que se passa, afinal? Jamais o povo viveu tão bem. Não vejo razão para interferir nesse estado de coisas".

Na esfera de liberdade política, os atos concretos dos homens tendem à abolição dessa mesma liberdade. Continua-se, entretanto, a proclamar: A liberdade é nosso bem mais precioso! Jamais nos sentimos tão bem. Podemos viver como melhor nos pareça.

Esse geral estado de coisas é escondido por mistificações, que não deixam de ter consequências. O colapso do sentido de duração do mundo material solapa a circunstância humana e ameaça o próprio homem. Coloca-se em dúvida o valor da lealdade no casamento, na amizade, na vida profissional. Em todos os setores, o mesmo se afirma: a permanência deixa de existir, em nada mais é possível confiar.

A substância tradicional da História vai sendo destruída pela forma tecnológica de viver, que se expande pelo mundo todo. O meio ambiente se degrada e se torna máquina. A idade da tecnologia faz surgirem condições sob as quais nada do passado pode subsistir.

A fé que se aninha no coração não mais encontra linguagem eficaz para expressar-se. Tornam-se vazias as dimensões da alma e o mundo se faz um deserto ou um triste teatro de prazeres.

Ouvimos dizer que "Deus está morto". Sem embargo, as igrejas florescem. Não duvidam de si mesmas. Tranquilizados por elas, os homens se sentem seguros em meio a essas estruturas grandiosas que talvez não passem de enormes cenários apodrecidos.

Irritamo-nos mutuamente. A psicologia profunda surge como refúgio que tudo obscurece. A superstição científica leva a recorrer, para busca de salvação, às pseudociências. E nos dizem: quando tiverem desaparecido todas as ficções e ideologias, o homem, até agora doente e alienado (em sentido etimológico), recuperará saúde. E a saúde é a felicidade, o fim supremo.

Parece, portanto, que se desencadearam todas as forças de corrupção. Se lhes opusermos a vida espiritual (ainda indiscutivelmente intensa) o resultado parecerá duvidoso: as ciências realizam prodigiosas descobertas, mas, pela massa mesma dessas descobertas, são inclinadas à especialização e nesse processo de especialização veem-se avassaladas pelo que não mais dominam. A técnica continua a ultrapassar o que dela se esperava; e, precisamente por fazê-lo, expõe o homem à destruição. A literatura nos fala de personagens ativos e, não obstante, o espetáculo mais notável que nos oferece é o do desespero, da revolta, do niilismo. A arte se refina no múltiplo de suas possibilidades e na perfeição de suas realizações e, contudo, exibe o máximo de poderio quando afasta a face do homem. Não é isso o que precede o fim? A produtividade de nossa época não é a chama em que esta coisa singular no universo, a humanidade, virá a consumir-se... e já se vem consumindo? Não será sem amanhã este hoje em que o homem detém poder jamais igualado? E o homem que toma consciência de tal situação não se encontrará diante de uma porta fechada?

Essa consciência de catástrofe provocou o aparecimento de modernos mitos de fim de mundo. Dir-se-á, por exemplo, que esse fim estava *a priori* implicado na História, cuja força criadora não era mais que luz efêmera a iluminar o caminho de uma autodestruição que, desde o início, estava anunciada. E por que se manifesta hoje? Klages afirma que na penúltima década do século XIX, a essência da Terra abandonou o nosso planeta. E, de outra parte, diz H. G. Wells que, por necessidade natural, matéria, processo vital e processo de conhecimento desembocam, ao mesmo tempo, na aniquilação.

Referir essas afirmativas corresponde a expor sentimentos, opiniões e ideias certamente inexatos se os tomarmos em termos de algo incontestável. Afirmações contrárias já foram feitas, mas igualmente incapazes de evidenciar que o futuro será menos sombrio.

Guardemo-nos de caluniar nosso tempo. Que exemplos de liberdade e de dignidade simples nos dão certos contemporâneos que, rejeitando falsas consolações, realizam, sem queixas, a obra cotidiana e morrem de coração leve, recusando-se a admitir o pior, embora sem nada a que se apegarem e tendo por fé a própria ignorância! Que brilho irradia desses homens que são eles próprios!

Se concebermos a História como predeterminado processo de autodestruição da humanidade, teremos esquecido que o amor, a dedicação, a grandeza do homem e o esplendor das obras por ele criadas são algo que triunfa do processo de destruição.

7. A linha geral de orientação da História futura é imprevisível. Não há indícios de liberdade permitindo antecipar possibilidades estimuladoras. Não esteve o homem permanentemente em encruzilhadas? O próprio desespero não significará estarmos pressentindo a humanidade nova que sobreviverá ao desastre?

Quando filosofamos, não devemos jamais deixar-nos dominar por profecias pessimistas. Como ignoro, tenho o direito de esperar na medida em que – no que me concerne e a partir da certeza que tenho quanto às origens – faço o possível, por pensamento e conduta, para me opor à catástrofe.

Significa isso que a contemplação da História e do presente não serve apenas para satisfazer nosso desejo de conhecimento, para nos esclarecer a respeito da grandeza e pequenez dos homens ou a respeito do esplendor de suas obras. O essencial é que essa contemplação nos desperte o sentido de responsabilidade.

O amor à verdade exige que admitamos o que se passou. Mas a História é por nós julgada: devemos decidir o que acolher e o que repelir. A orientação virá dos ideais que, esculpidos por nossos antepassados, façamos nossos.

Devemos aceitar a culpa de nossos ancestrais, pois que somos responsáveis por eles. Não podemos fugir à nossa origem. Somos livres apenas para participar da determinação de um futuro que se desenrola a partir dos dados de nossa História.

No espelho que é a História, enxergamos para além da estreiteza do presente e discernimos padrões. Sem História, perde alento nosso espírito. Se quisermos ignorar nossa História, ela nos surpreenderá à nossa revelia. Os espectros do passado nos conduzem.

Somos responsáveis pelas tarefas que reconhecemos como nossas. Hoje, vemos nosso destino integrado ao destino da humanidade. Nossa missão é a de encontrar o elo de união entre os homens.

Mas não é de esperar, nem de desejar que haja uma só maneira de os homens se aproximarem no sentido que emprestam à própria vida e à própria fé. Tal maneira de ver paralisaria a revelação do eterno no decurso do tempo. O fator comum, a integrar todos os homens, só pode ser a comunidade política asseguradora de uma paz baseada em compromissos contínuos no que diz respeito a problemas da existência prática. Isso reclama unanimidade no desejar a paz, implicando, por sua vez, a necessidade de que todos estejam de acordo quanto às condições indispensáveis para uma paz duradoura.

A filosofia deve fazer-nos conscientes dos horizontes do futuro, mostrando-nos os limites de toda ação humana, por gloriosa que seja, e aumentando em nós, por essa forma, o sentimento de responsabilidade diante de qualquer situação nova.

8. Sem embargo, origem e fim permanecem obscuros. Quando a História nos atinge, não nos permite repouso. Gostaríamos de encontrar fora da História uma posição a partir da qual nos fosse possível viver nela.

Há, em primeiro lugar, a reação de todo homem sobre si mesmo, sobre a própria existência (*Existenz*) com seus companheiros de fado, no ambiente comum. Enquanto existentes, os homens são, sem dúvida, inteiramente dependentes, mas, dentro da esfera que lhes é concedida, são espontâneos e únicos.

E eis o último ponto a assinalar. Na medida em que nos encontramos a nós mesmos e apreendemos o fundo das coisas, a História deixa de ser uma prisão. É o lugar inevitável em que, através de nossas experiências e ações, atingimos o que é autêntico.

Se saíssemos da História, tombaríamos no nada. Fora de nossa existência na História, não dispomos de nenhum fio de Ariadne capaz de conduzir-nos à autenticidade. Sem História, vemo-nos privados de linguagem que nos permita indiretamente falar das origens de que brotamos e que nos sustentam.

Não podemos passar para além da História, mas, percorrendo-a, por assim dizer, vemo-la tornar-se transparente a uma luz vinda de outras regiões. É como se, ao longo do tempo, tivéssemos a experiência de um eterno presente no fenômeno do tempo.

III

O CONHECIMENTO FUNDAMENTAL

1. Em relação ao universo e à História, expandimos continuamente os limites de nosso conhecimento. É como se nos perdêssemos no infinito das realidades cósmicas e históricas. Face a umas e outras, adquirimos consciência do passageiro e insignificante caráter de nossa existência.

Mas, e o universo? Ele se cala. Saberá ele que existe? Em seu mutismo não divisamos o menor sinal de um conhecimento dessa ordem. Nós, porém, sabemos que ele existe. Nós somos estes seres extraordinários que sabem que o universo, essa imensidade, existe. E podemos estudá-lo. Nossa consciência do nada que é o ser humano transforma-se no seu contrário.

Se nada soubéssemos do universo, não seria como se ele não existisse? Isso parece absurdo, mas indagamos: que seria o ser que se ignorasse a si mesmo e de ninguém fosse conhecido? Confundir-se-ia com a mera possibilidade de ser conhecido? Algo que esperaria, por assim dizer, a oportunidade de manifestar-se a um ser capaz de percebê-lo? Nós, esse nada no universo, não seremos o ser verdadeiro, o olho que vê o mundo?

E nossa História? Diante dela, temos consciência de nossa insignificância como indivíduos, mas em sentido diverso. Compreendemos o que os homens foram, fizeram, conseguiram. Quanto mais e melhor o compreendemos, mais claramente nos vemos face a um infinito que não nos esmaga e sim nos envolve. Compreender coloca a imensidão a nosso alcance. Jamais ascenderemos a seu nível e não obstante, a despeito de nossa insignificância, a ela pertencemos e ela nos responde.

Que somos nós, que são esses olhos que estão no mundo e veem e conhecem e compreendem? Seres pensantes, somos a dimensão – única, segundo sabemos – onde aquilo que é se revela em nosso pensamento objetivo, em nossa compreensão, em nossa ação, em nossa criação, em cada forma de nossa experiência.

Mais ainda: temos não apenas consciência, mas consciência de nós mesmos. Nesta consciência não há tão somente revelação, mas a revelação de si para si mesma.

Demos um salto: passemos da cognição intelectual dos objetos para a consciência subjetiva do que realizamos e experimentamos. A altura que atingimos com esse salto é nada, se a considerarmos do ponto de vista do conhecimento do mundo; considerado, porém, do ponto de vista filosófico equivale à possibilidade de atingir uma nova consciência do ser. É o que denominamos conhecimento fundamental.

Desenvolver essa consciência é como saltar sobre a própria sombra ou caminhar com os pés na cabeça. Tentemos, não obstante.

2. Sempre que pensamos, somos um *eu* que se orienta para um cognoscível, um sujeito que se dirige a um objeto.

Trata-se de uma relação única, relação que não pode ser comparada a nenhuma outra. O *eu* implica um objeto. Implica-o tanto mais distintamente, quanto mais claramente pensamos. Isso é estar desperto.

Esse estado de coisas é evidente a todo instante, mas raramente merece consideração de nossa parte. Quanto mais nele pensarmos, mais surpreendente nos parecerá.

Como atingirmos um objeto? Pensando-o e, dessa maneira, ganhando intimidade com ele; manipulando os objetos manipuláveis, pensando os objetos pensáveis.

Como chega a nós o objeto? Somos afetados por ele, apreendemo-lo tal como se oferece a nós, produzimo-lo sob a forma de uma ideia que a nós se impõe como correta.

Existe o objeto *per se*? Pensamo-lo como objeto que existe e é possível de apreensão. Damos-lhe um nome qualquer: casa, fato, objeto. Para nós, o objeto é como se apresenta. É por estarmos ali que o objeto é tal como aparece; por sermos, o objeto é.

E nós? Existimos verdadeiramente, enquanto sujeitos em busca de objetos que vêm a nosso encontro ou se colocam diante de nós? Antes que o busquemos, é preciso que o objeto exista para nós; com efeito, não temos consciência de nós mesmos senão a partir do momento em que nos encontramos tendendo para objetos. Não há *eu* sem objeto, nem objeto sem um *eu*. Em outras palavras, não há objeto sem sujeito, nem sujeito sem objeto.

Mas, se não existe um sem o outro, que relação mantêm entre si? Se eles são inseparáveis, qual o elo de unidade que os mantém juntos e apesar do qual estão suficientemente separados a ponto de o sujeito, pelo pensamento, tender ao objeto?

Denominamo-lo o *abrangente*, conjunto de sujeito e objeto que, em si mesmo, não é sujeito, nem objeto.

A dicotomia sujeito-objeto constitui a estrutura fundamental de nossa consciência. Só ela permite que o conteúdo infinito do abrangente adquira clareza. Tudo que é traduz-se obrigatoriamente no abrangente da dicotomia sujeito-objeto.

Quanto ao próprio abrangente, não cabe pensá-lo como objeto (coisa), porque, em tal caso, ele se faria objeto (oposto ao sujeito). Se quisermos pensá-lo, haveremos de renunciar à base oferecida pelos objetos que temos diante de nós quando os pensamos. E, por isso, buscamos um outro fundamento, que não seja sujeito nem objeto.

Para alcançá-lo, importa realizar o que, a meus olhos, é a operação filosófica fundamental. Não se trata de um método de pesquisa, mas de procedimento que leva algo a acontecer em nós. Explicitá-lo verbalmente, através de figuras de pensamento, não proporciona mais do que alguns marcos de orientação. Estes não podem ser usados para dar-nos qualquer tipo de conhecimento, mas, através deles, tornam-se mais perceptíveis as formas de manifestação do ser.

3. Se o ser não é sujeito nem objeto, mas o abrangente que se revela na dicotomia desses elementos, tudo que se revela nessa dicotomia é manifestação. Para nós, aquilo que "é" é manifestação que nos esclarece a propósito do abrangente, através da dicotomia sujeito-objeto. O que percebemos apresenta-se no tempo e no espaço, sob sua forma de realidade sensível; o que pensamos apresenta-se sob as formas do que é suscetível de ser pensado. Não "é", portanto, em si mesmo; porém é para mim, na dicotomia sujeito-objeto.

Não quer isso dizer que nosso mundo seja apenas aparente e oposto a outro, que seria o mundo real. Só existe um mundo.

O problema reside, antes, em saber se este mundo, de que temos experiência através da dicotomia sujeito-objeto, é o próprio ser, que se confundiria, então, com o mundo cognoscível.

Eis a resposta: o mundo não é aparência, mas realidade. Realidade que é manifestação, fenômeno. Enquanto fenomenalidade, "possibilidade de manifestar-se" (*Erscheinungshaftigkeit*), o mundo encontra apoio na realidade, no abrangente que, de sua parte, jamais se manifesta como realidade no mundo, como objeto passível de estudo.

4. Por mais de um modo se manifesta o abrangente da dicotomia sujeito-objetivo. Façamos rápida referência a essa multiplicidade.

É dito, por exemplo, que as cores não são objetivas, porém fenômenos subjetivos que se manifestam quando ondas eletromagnéticas atingem o órgão da visão. Somente as ondas seriam objetivas, mas o mundo despido de cores e privado de luz. De maneira alguma. Assim seria se a matéria, objeto da Física, fosse o próprio ser e não um simples modo de manifestação. Para os sujeitos sensíveis, as cores são inteiramente objetivas. A Física e a Biologia nos esclarecem a propósito de condições em que as cores se apresentam como uma realidade. Mas de modo algum cabe explicar as cores a partir de ondas incolores. Vários indícios favorecem essa maneira de ver, como por exemplo o seguinte: a série linear dos comprimentos de ondas – reduzida porção do conjunto muito mais amplo das ondas eletromagnéticas – não corresponde a uma escala cromática linear, mas a um círculo cromático fechado em si mesmo. Há uma objetividade do cromático passível de estudo independentemente das condições físicas de sua ocorrência. A par da objetividade das cores, há a subjetividade do ser vivo, que abrange uma e outra.

Assim ocorre com tudo que é vivo. A vida, como vimos na primeira conferência, não pode ser concebida adequadamente em termos de substância viva, de corpo vivo. É, antes, um todo constituído por um mundo interior e um mundo exterior, cada qual de forma peculiar. Para criar vida, seria necessário fazer surgir um universo completo, compreendendo um mundo interior e um mundo exterior.

À vida chamamos existente (*Dasein*). Ao existente vivo chamamos abrangente e esse abrangente, cindido em mundo interior e mundo exterior, mantém os dois em relação recíproca.

Nós, homens, somos um modo desse existente vivo e, a esse título, uma das formas da vida.

Esse modo do abrangente, o existente vivo, ignora existir. Nós, homens, não o ignoramos porque somos um outro modo do abrangente: o pensamento que, pensando, dirige-se a objetos e se pensa a si mesmo. Esse abrangente é, não somente consciência na diversidade de seu existente, porém é, ainda mais, consciência acertada ou falsa. O falso e subjetivo varia infinitamente; o justo e objetivo é algo que abrange todo o pensável e o cognoscível e não pode ser alcançado por nenhuma consciência existente isolada. Eis por que a denominamos consciência absoluta.

Ao que os sons e cores são para a sensibilidade do existente podemos comparar a relação que se estabelece entre o pensamento subjetivo e o pensamento objetivo. O pensamento se completa por meio de afirmações ou categorias e concerne ao que é pensado. Dizemos que isto é causa, substância, realidade etc. Essas categorias são engendradas pelo sujeito da consciência absoluta; e são, ao mesmo tempo, as categorias objetivas onde para nós se colocam todas as coisas cognoscíveis. Essa doutrina das categorias sob forma de doutrina das formas de afirmação de nosso pensamento é, concomitantemente, uma doutrina das formas das coisas mesmas que se apresentam a nós. O abrangente da consciência absoluta mantém a coesão dos enunciados objetivos de pensamento, sem ser ele próprio nem sujeito, nem objeto.

Além disso, não somos apenas ser vivo e consciência absoluta. Somos "espírito", espírito criador de imagens e formas. Nas visões criadoras de nossa imaginação subjetiva revela-se uma objetividade intelectual. Não existe uma sem a outra.

Enfim, enquanto existência possível (*Existenz*) somos liberdade. Em sua liberdade, a existência sabe-se em relação com a transcendência pela qual se oferece a si mesma. A realidade de nossa existência é o *eu* em seu devir temporal. Está em nosso amor, fala e é nossa consciência; põe-nos em relação com outros e é nossa razão.

Enquanto existente (*Dasein*), ser objetivo, nós somos a diversidade dos seres individuais se afirmando a si próprios. Enquanto consciência absoluta, somos o único sujeito do pensamento absoluto, sujeito presente em escala maior ou menor nas diversas subjetividades de existentes. Enquanto espírito, somos imaginação presente nos grupos de formas que chegam a nós por nossas criações. Enquanto existência (*Existenz*) somos devir em relação à transcendência, no fundo das coisas.

Se digo que somos existente vivo, consciência absoluta, espírito, existência, não quero dizer que sejamos um agregado desses modos do abrangente. Em nós, eles se interpenetram, ajudam-se e se combatem.

A existência dá sentido aos modos do abrangente e os mantém unidos, a seu serviço. Por outro lado, se não servem a existência, esses modos se desagregam, por assim dizer, e assumem pseudoautonomia a serviço de particulares solicitações da vida ou do mundo do espírito, que fascina por não conhecer limitações.

Desenvolvido por meio da filosofia, o conhecimento fundamental – que podemos evocar mas não descrever neste contexto – cria espaço livre graças à clareza da autoconsciência que no interior dele se constrói. Faz desaparecerem as limitações. Tornam-se transparentes os meios pelos quais nos fazemos reais enquanto existência.

5. Tornemos ao ponto de partida. Através da operação filosófica fundamental, o conhecimento fundamental nos dá consciência da possibilidade de nossa realidade manifestar-se no tempo. E isso tem consequências para uma constituição interior.

O mundo real (*Realität*) é manifestação da realidade e não a realidade (*Wirklichkeit*) como tal. Somos lançados a esse mundo (*reale Welt*), onde nos orientamos com o auxílio do conhecimento

(*Erkennen*) científico universalmente válido, que, entretanto, nada nos diz acerca do que esteja para além de seus limites. Só o conhecimento (*Einsicht*) filosófico nos pode liberar da prisão neste mundo.

O conhecimento filosófico deve, antes de tudo, ser capaz de surpreender-se com o óbvio: qual a significação do fato de que, pensando nós sejamos sujeitos que se dirigem a objetos e dessa dicotomia vejamos residir a clareza? A partir desse espanto em relação ao que está presente a todo instante, ao que até agora era evidente e não levantava dificuldade, ao que não merecia atenção mais demorada, a partir desse espanto, dizíamos, chegamos a outros problemas.

Esta vida no mundo dos fenômenos é como que um despertar após o sono, que nos retira do obscuro de um inconsciente inimaginável? É essa clareza a única possível? Ou a vida, na dicotomia sujeito-objeto, é comparável a um sonho? Não será a clareza, em verdade, um obscurecimento do ser e de mim mesmo? A resposta a essas indagações não brota de conhecimento, mas, por estranho que pareça, de uma decisão.

Quero que o mundo real me seja indiferente. Aceitá-lo simplesmente, sem agir sobre ele? Não ser responsável por nada? Quero viver como se não existisse? Foi esse o caminho tomado por algumas escolas asiáticas de pensamento: a fórmula "o ser é a aparência e a aparência é o ser" figura num romance tauista, onde se afirma que a vida humana com seu encanto perturbador, na beleza, sua inutilidade, com o bem e o mal, ilusões e desilusões, em suma, com sua falta de sentido, é um jogo vão. Fórmulas tais dão expressão a uma disposição íntima onde tudo se desvanece como fumaça tocada pelo vento.

Posso, diversamente, querer – pela realidade de minha vida, responsabilidade e conhecimento – atingir a clareza neste mundo fenomenal, considerando-a caminho único para alcançar possível iluminação que venha de mais além. Neste caso, o fenômeno não é, para nós, mais do que aparência, a vida não é sonho... Não percamos, porém, de vista que todo nosso conhecimento finito corresponde sempre a um estado de servidão. A indagação que se coloca é a seguinte: podemos nós, valendo-nos do pensamento, encontrar, por assim dizer, um lugar exterior a nosso conhecimento e a partir do qual esse conhecimento se tornasse inteiramente visível por transparência? Dali, eu não divisaria conhecimento novo, não perceberia novas finalidades no mundo, mas poderia metamorfosear minha consciência e, por essa via, metamorfosear-me a mim mesmo.

Cogitando desses problemas, não fazemos senão reconhecer a realidade (*Wirklichkeit*) que transportamos conosco durante todo o tempo, mas em que não havíamos pensado porque nos encontrávamos prisioneiros das realidades (*Realitäten*) manifestas.

6. Sabedores de que o existente (*Dasein*) é dotado da capacidade de manifestação, rompemos, por nossa consciência de ser, a prisão em que nos contém a dicotomia sujeito-objeto. Contudo, apesar do conhecimento, permanecemos na prisão. Terminou a servidão, porém não o cativeiro. Surgiu para nós uma luz a cujos raios tudo sofre transformações, sem que se revele qualquer realidade nova. Ora, é isso exatamente que nosso entendimento sensível gostaria de poder apreender. Gostaríamos não somente de que nossa visão atravessasse a dicotomia sujeito-objeto, mas que, ultrapassando-a, ganhasse apoio para além dela. Para tanto, aventaram-se dois caminhos impossíveis de transpor.

O primeiro conduz para fora deste mundo. Experiências de mística união com o ser dificilmente admitem contestação. Tais experiências não podem, entretanto, ser comunicadas por aqueles que retornam ao mundo comum. A interpretação possível de dar a essas experiências é variada e expõe-se a controvérsia.

Para descrevê-las, os que as fizeram recorrem a um fluxo de imagens só por eles compreendidas. No inconsciente ou "superconsciente" da união incomunicável, objetos e *eu* se desvanecem; fica abolida qualquer distinção entre o *eu* e o *outro*; deixa de existir a dicotomia sujeito-objeto. A nosso ver, trata-se de um estado de exceção do qual quem o viveu retorna trazendo algo consigo, algo que semelha conhecimento. Da experiência, quem a faz sai aniquilado, como se tivesse tido acesso à iniciação suprema. Contudo, ao passear pela linguagem da consciência, que a todos nos une, a experiência que parecia ser tudo se converte em nada. A ela não podemos recorrer.

Aquele que não se viu exposto à verdadeira experiência mística sabe apenas que, se a tivesse, dela não decorreriam consequências práticas neste mundo – nem para si, nem para os outros.

O segundo caminho aconselha que se tome por objeto um outro mundo, supostamente concreto, situado no mais além. Em visões, ele se apresenta fisicamente diante de nossos olhos e essas visões esmagam quem é por elas tomado. Assumem a forma de estruturas racionais. Aos insanos mentais essas visões suprassensíveis apresentam-se como experiências concretas e originais. O comum dos homens, após vê-las descritas, só pode, dando livre curso à imaginação, reproduzi-las em sua "consciência normal".

Aquele que não apreende a fluida linguagem dos enigmas, aquele que não se expõe aos golpes do destino está, por seu conhecimento suprassensível, livre de sua liberdade, livre das situações-limite e escapa aos problemas de Jó. Dispõe de alguma coisa.

O preço, porém, é o de perder a verdade. Ilusão, decepção, entrega. Não seremos salvos pela mística, nem pelas visões. Só pela dicotomia sujeito-objeto, pela clareza da realização, chegaremos ao ponto em que nela, através dela, alcançaremos a apreensão do abrangente. Não nos apoiaremos nem no sujeito, nem no objeto, mas viveremos no abrangente.

7. As exposições anteriores mostraram que o pensamento filosófico não é de gênero único.

Quando falamos do universo e da História, buscamos atingir o limite. Os limites têm, por si mesmos, poder de atração tal que o próprio conhecimento parece não existir senão para que façamos a experiência dos limites. Esse é um dos métodos da filosofia. Na medida em que o investigador, inspirado por esse instinto e conduzido por ele, penetra cada vez mais fundo no que é concretamente cognoscível, a filosofia se faz ciência.

No presente capítulo, recorremos a método inteiramente diverso: em vez de partirmos de objetos, partimos do presente e procuramos determinar a maneira como estamos no mundo. O abrangente só existe na medida em que aparece na dicotomia sujeito-objeto e se torna consciente de si mesmo, por assim dizer, como seu próprio objeto. Reconhecê-lo nenhuma importância tem para o conhecimento científico ligado a objetos. Nenhum conhecimento daí decorre, mas se esclarece nossa consciência do ser. É impossível o salto do intelecto até ele. Ele se vale do intelecto para o transcender, sem perdê-lo.

É um tipo diverso de experiência de pensamento. Faz-se presente algo que não pode ser apreendido em si pelo pensamento objetivo. Passamos a dispor de um espaço onde não mais se produz o conhecimento de qualquer coisa. Atingimos horizontes de onde não divisamos objetos novos e desconhecidos no mundo.

É um pensamento que, de algum outro lugar, pode iluminar nosso mundo. Visto desse ponto privilegiado, nosso ser-no-mundo adquire profundidade nova.

IV

O HOMEM

1. Nas duas primeiras conferências, examinamos o conhecimento da natureza e o da História para descobrir-lhes os limites. Na terceira conferência, nossa preocupação se dirigiu para a natureza do cognoscente e da consciência em si. Aprendemos que tudo quanto para nós existe aparece na dicotomia sujeito-objeto. O abrangente, que aflora na manifestação da dicotomia, não é nem sujeito, nem objeto. À sua captação denominamos conhecimento fundamental, distinguindo-o do conhecimento da natureza e do conhecimento da História.

Tudo de que falamos – natureza, História, abrangente – reúne-se no homem. Antes de tudo, sendo seres vivos, compostos de matéria, pertencemos à natureza, como espécie animal que somos. Sendo seres racionais, atuantes e criadores, pertencemos à História, que criamos ao mesmo tempo que a ela nos vemos expostos. E, enfim, somos o abrangente que compreende, por assim dizer, a natureza e a História. Tendo-nos tornado, por força da natureza e da História, aquilo que hoje somos, é como se houvéssemos provindo de um lugar estranho, ao mesmo tempo, à natureza e à História e só ali tivéssemos nossa origem e nossa meta.

Nada há que se compare à natureza do homem. O homem que somos parece a própria evidência e é, entretanto, a mais enigmática dentre as coisas. De múltiplas maneiras foi essa ideia expressa. Por exemplo: o homem se confunde com todas as coisas, a alma é tudo, disse Aristóteles; o homem não é anjo, nem besta, afirmou um pensador medieval, mas, situado a igual distância de uma e de outra, participa de ambas essas naturezas; centro da criação, ele é distinto não apenas dos animais, porém também dos anjos; só ele é feito à imagem de Deus; o homem, dizia Schelling, tem, profundamente escondida em si, uma "cumplicidade com a criação", pois que assistiu-lhe as origens.

2. Seja de onde for que tenhamos vindo, estamos aqui. Encontramo-nos no mundo, em meio a outros homens.

A natureza é muda. Embora pareça estar expressando algo através de suas formas, suas paisagens, suas tempestades tumultuosas, suas erupções vulcânicas, sua brisa ligeira e seu silêncio – a natureza não responde. Os animais reagem de maneira que tem sentido, mas não falam. Só o homem fala. Só entre os homens existe essa alternância de discurso e resposta continuamente compreendidos. Só o homem, pelo pensamento, tem consciência de si.

O homem está sozinho no mundo imenso e mudo. Foi preciso que o homem surgisse para emprestar linguagem ao mutismo das coisas. O silêncio da natureza ora lhe parece estranho, inquietante, impiedosamente indiferente ora lhe parece favorável, despertando-lhe confiança e apoiando-o. O homem acha-se sozinho em meio a uma natureza de que, não obstante, é parte. Somente com seus companheiros de destino ele se transforma em homem em si mesmo e deixa de estar solitário. E, então, a seus olhos, a natureza se torna o pano de fundo de uma obscuridade que fala sem palavras. Vemo-nos a nós mesmos como luz que ilumina as coisas, que se dispõem com referência a nosso pensamento e às relações que com elas estabelecemos.

3. É a partir do mundo que nos compreendemos como esse existente vivo e corporal sem o qual não somos. Estamos ligados a esse existente, movemo-nos com ele e reconhecemos sua corporalidade como nossa até o ponto da identificação. Mas, se nos entregarmos à ideia de que, no plano da natureza, somos feitos de matéria e de vida, perderemos consciência de nós mesmos. Com efeito, a identificação de cada um de nós com sua corporalidade não basta para fazer com que ele seja ele mesmo.

Não nos compreendemos a partir da História, a não ser através da realidade da tradição, sem a qual não teríamos chegado a nós mesmos. Mas, se nos rendermos ao processo de conhecimento histórico, no qual hoje nos encontramos, perderemos a consciência de nossa própria responsabilidade original. E é por meio desta, e não pela contemplação da História, que somos nós mesmos.

Será, então, que nos compreenderemos a partir de nós mesmos, na liberdade de nossa ação interior e exterior? Nesse ponto, atingimos a profundidade, tocamos a origem de nossa consciência de nós mesmos. Mas não compreendemos a existência de nossa liberdade. Com efeito, nós não nos criamos: nem enquanto esse existente sob cuja forma nascemos, nem enquanto essa liberdade na qual, compreendendo-nos nela, oferecemo-nos a nós mesmos.

4. Se não nos compreendemos a partir de nossa origem, podemos, ao menos, saber o que somos?

O homem foi definido como ser vivo dotado de palavra e pensamento (*zoon logon echon*); como ser vivo que, agindo, dá à sociedade a forma de cidade regida por leis (*zoon politikon*); como ser que produz utensílios (*homo faber*); que trabalha com esses utensílios (*homo laborans*); que assegura sua subsistência por meio de planificação comunitária (*homo oeconomicus*).

Cada uma dessas definições leva em conta uma característica, mas o essencial não está presente: o homem não pode ser concebido como um ser imutável, encarnando reiteradamente aquelas formas de ser. Longe disso, a essência do homem é mutação: o homem não pode permanecer como é. Seu ser social está em evolução constante. Contrariamente aos animais, ele não é um ser que se repete de geração para geração. Ultrapassa o estado em que é dado a si mesmo. O homem nasce em condições novas. Embora preso a linhas prescritas, cada novo nascimento corresponde a um começo novo. Para Nietzsche, o homem é "o animal que jamais se define". Os animais se repetem e não avançam. O homem, ao contrário e por natureza, não pode ser o que já é. Está sujeito a perder-se em anormalidades, degenerações, perversões, a alienar-se de si mesmo. Isso, porém, não se faz segundo uma direção invariável, conhecida ou admitida, que se constituiria na única forma verdadeira de ser homem.

5. Mas quem é esse homem, que se reconhece ligado à nação, à raça, ao sexo, à própria geração, ao meio cultural, à situação econômica e social e que, não obstante, de tudo se pode afastar, colocando-se, por assim dizer, fora e acima de todas essas estruturas em que historicamente se encontra imerso?

Tudo que sabemos do homem, tudo que cada um dos homens sabe de si mesmo não corresponde ao homem. Aquilo a que o homem está ligado, aquilo com que o homem se debate não identifica o homem. Sua origem propõe-lhe um problema que se transforma em alavanca da qual se vale para tentar fugir àquilo em que está enterrado. A partir daí, ouve ele a exigência que não lhe deixa repouso. Sua consciência de ser se realiza com base em algo que ele jamais compreende, mas de que acredita participar uma vez que seja ele mesmo.

Nem o homem, nem qualquer dos homens sabe o que é em realidade, quando se reconhece amparado por esse fundamento sobre o qual nada pode. Todo conhecimento que o homem tem de si mesmo diz respeito a fenômenos, a suas condições ou potencialidades. O homem não se identifica a qualquer desses aspectos, porém os incorpora ao longo da jornada que o leva a si mesmo.

6. Abrigamos em nós algumas imagens do homem e ouvimos falar de outras que a História reteve.

Mas, como não podemos fixar numa imagem o que o homem realmente é, o que pode ser ou o que deve ser, somos também responsáveis pelas imagens que nos orientam.

Os homens não vivem sem dispor de imagens de si mesmos. Pela confrontação de imagens, chegamos a nós mesmos. O homem sempre esteve rodeado de imagens: os heróis da mitologia, os deuses gregos – que, de natureza semelhante à dos homens, destes só se diferenciavam por serem imortais – os sábios, os profetas, os santos, as personagens literárias. Como se colocam essas imagens em torno do homem de nossos dias? Os deuses do teatro, do estádio ou da tela, os políticos, os escritores, os sábios continuam a constituir-se em imagens orientadoras ou deixaram de sê-lo?

Somos nós próprios a aposta na luta que em nós se trava entre imagens do homem. Sentimos atração ou repulsão por imagens que reconhecemos nos indivíduos. Fazem-se elas, a nossos olhos, modelos positivos ou negativos. E de nós próprios indagamos: que faria ou que diria tal homem na situação presente?

Quando caímos, tendemos a justificar a própria baixeza pela contemplação da baixeza. Para nos reencontrarmos, tentamos encontrar homens que possamos respeitar. Tornamo-nos nós mesmos naqueles que amamos. Perdemo-nos naqueles a que nos julgamos superiores.

Postos em confronto com os mais elevados exemplares da humanidade, dizemos em autodefesa: "não quero ser assim, quero ser como todos"; "é humano participar da baixeza humana, em vez de, por orgulho, procurar ser melhor – essa é a humanidade verdadeira"; "as personalidades são ídolos de tempos idos – deixaram de existir"; "quero ser de meu tempo, corresponder ao que ele exige". Em contraste com essas manifestações, põe-se a reverência pela nobreza humana, que vemos continuadamente realçada. Essa reverência nos eleva acima de nós mesmos. Impõe-se a reverência pela nobreza humana para que possa haver respeito pelos indivíduos; efetivamente, o respeito pelo indivíduo é o respeito pela nobre potencialidade que ele encerra por ser homem. A mesma reverência está na origem do respeito próprio que consiste em não tolerar fazer, pensar ou sentir nada capaz de levar-me ao desprezo de mim mesmo. Há, entretanto, o recife perturbador diante do qual todo amor e reverência naufragam: é o fato de encontrarmos no homem alguma coisa que, em literatura (na *Tempestade*, de Shakespeare), assumiu a figura de Caliban e, na realidade, graças à loucura servil de um povo, encarnou-se em Hitler.

A reverência não eleva o homem ao nível da divindade. O homem humilíssimo e o grande homem são aparentados conosco. Mas é perversão transformar a fórmula: "todos são homens como nós" – fórmula que, sem abolir a indefinível hierarquia, nos eleva a todos – em algo que nos nivela por baixo e dizer "todos não passam de homens e são semelhantes a nós".

7. Afirmamos que o homem não podia ser compreendido a partir da natureza, nem a partir da História, nem a partir de si mesmo.

Exilado em seu existente, o homem quer ultrapassar-se. Não se satisfaz com ser, numa quietude fechada em si mesma, o perpétuo retorno do existente. Não mais se reconheceria autenticamente como homem, se se contentasse com ser o homem que hoje é.

Para transcender-se, não basta ao homem a sensação ou o gozo de imagens mitológicas, nem o sonho, nem o uso de palavras sublimes, como se nelas a realidade estivesse inclusa. Só na ação sobre si mesmo e sobre o mundo em suas realizações é que ele adquire consciência de ser ele próprio, é que ele domina a vida e se ultrapassa. Isso ocorre de duas maneiras: por ilimitado progresso no mundo e pelo infinito que se faz presente a ele em sua relação com o transcendente.

8. O progresso no domínio da natureza começa com a humanidade, com a invenção do instrumento e a arte de fazer fogo. Algo se acrescenta à necessidade vital: a coragem de querer conhecer, a audácia do marinheiro, a vontade inquebrantável de aventura, a aspiração jamais satisfeita que transforma as metas alcançadas em novos pontos de partida.

A mitologia grega via em Prometeu o titã desafiador dos deuses. Ésquilo nos diz que Zeus desejava aniquilar os homens, dos quais Prometeu se fez defensor. Para ajudá-los a se defenderem, Prometeu lhes fez dádiva do fogo e lhes ensinou a dominarem artes mil, de modo que pudessem produzir aquilo de que tinham necessidade para viver: ensinou-lhes a técnica de construir casas e embarcações; o uso do ferro, da prata e do ouro; a maneira de domar o touro que puxará a charrua e de domar o cavalo, que os transportará a pontos longínquos. Ensinou-lhes os números, as ciências, a arte de escrever. Dando-lhes a oportunidade de criá-la através da ação refletida, Prometeu, em verdade, deu vida aos homens. No pensamento de Zeus, a ordem do mundo não comportava essa independência. Ao titã Prometeu e a si mesmo o homem deve o que é. "Nada é mais poderoso do que o homem", diz Sófocles.

Entretanto, nas potencialidades do homem reside também o que lhe é fatal. Dante descreve a última aventura de Ulisses. Com seus companheiros, ele transpõe as fronteiras que as Colunas de Hércules assinalavam para os homens. Por quê? "Para que nada permaneça oculto a meus olhos". E aos companheiros ele diz: "Não recuseis ao que vos resta de vida o prazer de verificar se teremos êxito no alcançar terras desabitadas. Não tendes vida para viver como os animais, porém para perseguir a glória e a ciência". O mar os engole após uma tempestade que se desencadeia ao largo da montanha do purgatório. Do fato ninguém tinha conhecimento antes que Ulisses o referisse a Dante no Inferno.

A visão de Dante nos leva a refletir sobre os dias que correm. Em nosso tempo, a navegação em mares austrais é fato corriqueiro. Em 1957, o primeiro satélite artificial da Terra, o *sputnik* russo, foi lançado ao espaço. O entusiasmo se manifestou, especialmente quando, pouco depois, um satélite artificial tripulado trouxe o cosmonauta de volta à Terra, são e salvo. Ali estava ele, em carne e osso e referia coisas que jamais o homem havia visto. Cabia supor que o homem fosse tomar posse do cosmos, que não mais se encontrasse ligado à Terra, que não passaria de sua pátria de origem. Há dezenas de milhares de anos, o homem se arriscou sobre a água em sua mais primitiva embarcação. E veio a circum-navegar o globo. Hoje ele se lança ao espaço com sua primeira embarcação e, um dia, dominará o espaço como domina a Terra.

Palavras desse tipo são ilusórias. Embora, com toda probabilidade, o homem deva ir mais longe do que já foi, barreiras físicas últimas permanecem. O homem não penetrou no cosmos, porém, simplesmente, em nosso sistema solar. Jamais poderá adentrar o universo e aí assentar pé. A distância entre o nosso sol e o mais próximo dos sóis (que se encontra na constelação de Centauro) – distância ridícula na escala do universo – é de quatro anos-luz. Condições biológicas da vida humana impedem a transposição de tal distância. Isso não é uma desgraça, é uma limitação.

À vontade de conhecer – ao mesmo tempo corajosa e temerária – do Ulisses de Dante corresponderam, na aurora dos tempos modernos, as viagens dos descobridores e exploradores. A conquista do globo inaugurou uma fase nova e grandiosa na história do homem. Sem embargo, hoje, com o *sputnik* alterou--se o sentido dessa vontade de conhecer. As perigosas escaladas dos alpinistas têm para eles mais sentido que as perigosas explorações dos cosmonautas (como o comprovam as decepcionantes exposições que estes publicam). Nas viagens ao espaço, tudo quanto importa é a perfeição tecnológica, que suscita prestígio vão, comparável a recordes num esporte mecanizado.

Em nosso tempo, tornou-se realidade, sob forma nova, a visão de Dante (ruína precipitada pela temeridade de quem pode e quer conhecer). Com efeito, o avanço técnico atingiu ponto em que não se exclui a possibilidade de que a humanidade se destrua a si mesma.

9. Também num outro sentido quer o homem ultrapassar--se: não avançando pelo mundo, mas projetando-se para além do mundo; não na insaciável e sempre renovada inquietude de sua existência temporal, mas na quietude da eternidade, no tempo que abole o tempo.

Quietude, sob forma de duração no tempo, não é concedida ao homem. Significaria o fim dos tempos. O instante de repouso no mundo não pode pôr-se como realização. Tudo continua. No instante perfeito, quando este é concedido ao homem, brilha a luz do repouso eterno.

Aquele instante testemunha a calma escondida em nós, que não se projeta no tempo.

Essa calma é o conteúdo da transcendência e nosso destino é sermos nela recebidos, com os companheiros que tivemos. A imutabilidade de Deus é uma imagem dessa quietude. É nessa direção que o homem tende a se ultrapassar, não mais avançando no mundo mas caminhando para a transcendência, inacessível a nosso conhecimento e inefável.

Enquanto não experimentou a sensação de ver-se soterrado e não optou por "passar além", em direção à transcendência, o homem não é verdadeiramente ele próprio. Não passa do animal racional a que está acorrentado. Para contraditar essa imagem que o diminui, o homem foi chamado "o ser que contempla Deus". Somente em relação com a transcendência é que o homem toma consciência de ser livre, na forma de vida superior exemplificada por homens de todas as raças e todos os tempos.

10. Quando começa a refletir, o homem toma consciência de que não dispõe de certeza, nem de apoio. É preciso que nós, homens, tenhamos coragem, quando nos pomos a refletir sem vendas nos olhos. Devemos avançar no escuro, de olhos abertos, proibindo-nos de renunciar ao pensamento.

A coragem engendra a esperança. Sem esperança, não há vida. Enquanto há vida, há sempre um mínimo de esperança, que brota da coragem.

A esperança se mostra ilusória quando o existente naufraga. Só amparado na coragem pode o homem caminhar de fronte erguida para o seu fim.

A esperança só tem sentido em relação ao existente. Que ocorre, porém, se a esperança desaparece no tempo? Aquela disposição é uma confiança despida de objeto, confiança sem certeza, não concedida a todos e não concedida a todo momento: "estar maduro é tudo" (Shakespeare).

Essa confiança pode faltar-nos. Não resisto à realidade nua. Se a confiança me é dada, não me devo sentir seguro de mim mesmo. Se desejo conservar minha integridade de homem ligado aos homens e se deles espero compaixão para uma falha eventual, não posso esquecer os demais.

11. Vimos que não há resposta satisfatória para a indagação a propósito do que o homem é. As potencialidades do homem enquanto homem permanecem ocultas em sua liberdade.

Não cessarão de manifestar-se pelas consequências dessa liberdade. Enquanto existirem, os homens serão seres empenhados na conquista de si mesmos.

Quem se interroga a respeito do homem gostaria de ver dele esboçar-se imagem verdadeira e válida, mas isso não é possível. A dignidade do homem reside no fato de ele ser indefinível. O homem é como é, porque reconhece essa dignidade em si mesmo e nos outros homens. Kant o disse de maneira maravilhosamente simples: nenhum homem pode ser, para outro, apenas meio; cada homem é um fim em si mesmo.

V

O DEBATE POLÍTICO

"Política é destino" – esse dito de Napoleão tornou-se mais aterrorizador desde o surgimento do totalitarismo na era da tecnologia.

Mesmo quando se pretendeu a política, a filosofia sempre teve significado político. Filosofando, o homem chega a si mesmo. E encontra razão para moldar e julgar politicamente sua associação com os outros homens.

Será este, à guisa de prólogo, o primeiro de uma série de capítulos relativos à política.

Qual a essência de um debate político?

1. Num debate busca-se esclarecimento acerca do objetivo, colhem-se fatos. Tem-se a experiência da opinião contrária. Busca-se convencer. Para tornar sensível o efeito da presença ou ausência da filosofia em tais debates, darei como exemplo uma conversa fictícia entre dois alemães que denominarei A e B.

A. Nosso objetivo último é o de restaurar as fronteiras alemãs de 1937, manobrando astuciosamente junto às Grandes Potências.

B. Para mim, a primeira meta a perseguir é o restabelecimento da liberdade política, ainda muito restrita no interior da República Federal Alemã. Isso é tudo que podemos fazer. É a condição necessária para que, solidários com os Estados livres do Ocidente, trabalhemos em prol da autodeterminação dos povos do mundo. Nessa linha e por meio dela, terminaremos por conseguir que se restaure também a liberdade de nossos compatriotas do Este, hoje vivendo sob opressão.

A. Você está perseguindo miragens. Acredita numa solidariedade quimérica. Quando da questão de Suez, os norte-americanos se juntaram aos russos para fazer com que três Estados livres – França, Inglaterra e Israel – se curvassem.

B. Você poderia citar outros fatos igualmente desanimadores. Mas, aquilo com que você sonha é uma quimera menor? A restauração das antigas fronteiras da Alemanha não pode ser obtida por meio de uma política por nós isoladamente praticada. Mas, se o crescente poderio da China levasse, por exemplo, a Rússia a se aliar com o Ocidente, os Estados satélites, inclusive a Alemanha Oriental, ver-se-iam quase que automaticamente libertados e a fronteira passaria a correr ao longo da linha Oder-Neise.

O único problema é o seguinte: Qual das quimeras preferir? Qual delas oferece melhor oportunidade? Dito de outra maneira: qual delas propicia melhor expectativa de sobrevivência? Subentende-se que só se pode pensar na sobrevivência da Alemanha dentro do mundo livre. Repito, portanto: o que podemos fazer agora é concretizar a liberdade política no interior das fronteiras da Alemanha Ocidental.

E você, que acha que devemos fazer?

A. Devemos repetir infatigavelmente nossa exigência de reunificação da Alemanha. Não estaremos senão defendendo um direito líquido. A História mostra que pode tornar-se realidade o que é aparentemente absurdo. Readquirimos tal importância que já não somos indiferentes ao mundo.

B. Mas, do ponto de vista político, o que somos nós realmente, mesmo no interior de nossas fronteiras? Na medida em que a massa participa da prosperidade econômica, desinteressa-se da política, de maneira inquietante. Deixamo-nos governar por uma oligarquia de partidos que se nomeia a si mesma e que não se digna a interessar-se pela população, a não ser às vésperas de eleições. Colocar o voto na urna é o único ato político praticado pelo povo e praticado sem maior reflexão. No fundo, isso equivale a decidir, por aclamação, que a mesma oligarquia de partidos continue no poder. Nenhum dos partidos tem um ideário político. Nenhum deles trabalha em favor da liberdade política interna ou em favor da liberdade de pensamento. Nenhum deles procura ajudar o povo a educar-se politicamente.

Contudo, a situação é bem diversa da que vigorava sob a República de Weimar. Em nossos dias, o jogo parece provisoriamente isento de riscos. Em verdade, os Estados Unidos da América protegem o Estado contra ataques externos, e o governo o protege contra golpes internos. Disso resulta a restrição, contratualmente assentada, de nossa soberania. Nem interna e nem externamente, o governo tem responsabilidade verdadeira, que pudesse ser exposta à prova do real. Nada lhe pode acontecer. É a consequência da Constituição Provisória, que deu lugar a uma estabilidade inerte.

A. Estamos seguros, portanto. Isso não é bom?

B. Aparentemente, sim. Mas esse estado de coisas é apenas ensaio para o papel que desempenharemos na próxima catástrofe mundial. Ver-se-á, então, se sabemos o que é liberdade política; se recobramos a dignidade perdida em 1933; se sabemos adotar as decisões indispensáveis para preservação da honra e da liberdade – ou se nos comportaremos como em 1933, ano da vergonha e da estupidez política. As condições, contudo, serão inteiramente diversas.

A. Você antevê perigos?

B. Sim. A certeza, por exemplo, de ajuda nuclear por parte dos Estados Unidos da América, na hipótese de uma agressão russa, deixou de ser absoluta. Hoje, os Estados Unidos já desejam que algum tempo se passe entre o ataque russo e a resposta atômica. Face ao risco de destruição pelo desencadeamento de uma guerra nuclear, os Estados Unidos da América, aparentemente, pensarão, antes de tudo e acima de tudo, em si mesmos.

A. Nada podemos fazer, quanto a isso. E, aliás, esses problemas estão ultrapassados, pois vivemos um período tranquilo.

B. Não falemos de tranquilidade. O fato de acreditarmos em tranquilidade sob o pretexto de que atravessamos um instante calmo e de que Berlim não está ameaçada é um grande êxito de Kruchev: ele impeliu o Ocidente para a via das lutas e rivalidades internas a fim de enfraquecê-lo e ter tempo de respirar.

Contudo, a longo prazo, a política alemã deveria ser capaz de realizar a grande mudança, que tornaria segura e indissolúvel a aliança com os Estados Unidos da América. Talvez que, apesar de tudo, seja possível conseguir esse resultado.

A. E como?

B. Somente por meio de uma solidariedade completa. Coloquemos em segundo plano a soberania alemã e reconheçamos a superioridade norte-americana. Antes, porém, devemos alcançar uma forma de organização política interna que seja verdadeiramente livre e democrática. Em outras palavras, devemos transformar-nos em um Estado onde o povo participe do pensamento e da ação política e saiba que a liberdade política é um jogo, sempre e em toda parte. Contraporíamos aos Estados Unidos da América argumentos razoáveis e convincentes, mas, em caso de divergência, cederíamos. Assim, com o correr dos anos, os Estados Unidos da América chegariam a perfeita solidariedade conosco, teriam por suas as nossas fronteiras e o dito de Kennedy – "sou berlinense" – cobraria todo seu sentido. Os

Estados Unidos poderiam contar conosco e nós poderíamos contar com eles. Claro está que tudo isso não passa de possibilidade, mas é a única possibilidade de subsistir que para nós se abre.

A. Que loucura. O que você quer é ver a Alemanha Ocidental transformada em satélite dos Estados Unidos da América.

B. Houve submissão quando, pela Aliança das Sete Províncias, a Frísia se ligou à Holanda, se não formalmente pelo menos de fato? Houve submissão quando, no interesse da liberdade política, nos unimos aos mesmos Estados Unidos da América e a outras nações, numa comunidade de destinos para fazer frente a um mundo que talvez não tarde em se tornar o mais poderoso, que jamais conheceu a liberdade e que pretende aniquilá-la? Essa "submissão" seria, em verdade, aliança de companheiros que se sentem tanto mais seguros em sua união quanto mais crescem em razão e em liberdade.

A. De tudo que diz, só uma coisa transparece: você não tem os sentimentos do alemão, falta-lhe a autoconfiança do racional. Numa palavra: você não é alemão.

B. Você põe em dúvida minha devoção à Alemanha? Terei de demonstrar quem de nós é mais alemão? Terei de mostrar qual de nós responde melhor aos preceitos de nossos ancestrais? qual de nós melhor percebe o destino da Alemanha e com ele se preocupa e mais gostaria de participar de sua metamorfose espiritual e política? Não quero ir por esse caminho.

A. Muito bem. Mas, que fazer diante da situação internacional de nossos dias? Apenas esperar pelo que vai acontecer? É preciso que, à semelhança da Rússia, desenvolvamos nosso poderio. E, no plano político, devemos apegar-nos a nossa inalienável soberania nacional.

B. Admito que você tenha razão quanto ao primeiro ponto: não devemos esperar passivamente pelo que vier; tanto quanto possível, devemos aumentar nosso poderio. Quanto ao segundo ponto, não estou de acordo: você coloca a política do Estado soberano, da ambição nacionalista acima do interesse de manter, em comum, a liberdade política.

A. É preciso que sejamos nacionalistas, pois os outros países da Europa agem segundo o próprio interesse e exigem a autonomia e o direito de veto.

B. Você acha que justifica seu erro, dizendo que outros caminham para a própria destruição.

De minha parte, continuo a defender o princípio de que só nos salvaremos associando-nos, sem qualquer condição, àqueles que colocam a liberdade política acima de tudo. Só o desejo de liberdade, com base no qual edificaremos nosso Estado e julgaremos todo ato de política interna, permitirá que encontremos o sentido de nossa existência política a um nível que nos ponha ao abrigo da catástrofe que se prepara. Isso é exatamente o contrário de uma atitude indigna de nós, a de viver o dia a dia, sem maior reflexão.

Se todos soubéssemos o que a liberdade política realmente é, o poder atual da oligarquia dos partidos se veria enfrentado pelo poder do espírito e da iniciativa popular, especialmente a dos jovens.

A. No século XIX, a grandeza alemã se apoiou no lema "primeiro, unidade; depois, liberdade". Continua a ser esse o nosso principal objetivo: unidade do Estado alemão, com fronteiras pelo menos iguais às de 1937.

B. Desde aquela época, ao lema nacionalista já se opunha a ideia federalista de liberdade. Quando Bismarck fez triunfar a ideia de centralização, os alemães não aproveitaram o ensejo, que se apresentava, de conquistarem também a liberdade política. Bastou-lhes um constitucionalismo aparente, um Estado jurídico e o milagre econômico da época. O resultado foi a ausência de responsabilidade política. A negligência de um povo passivo e a estupidez política dos que, por acaso, ocupavam o poder vieram a permitir a Guerra de 1914, não desejada pela maioria.

A. Sua apreciação é injusta. Foi uma desgraça que atingiu indistintamente todas as nações europeias. Naquela época, a ideia da unidade nacional era encarada como básica por todos os alemães e, com boa razão, continua a ser assim.

B. Estamos numa encruzilhada: ou os alemães, com sua força econômica e militar, se transformam em joguete da História ou se decidem a forjar o próprio destino.

A. Se renunciarmos ao Estado nacional e nos submetermos aos Estados Unidos da América não teremos necessidade de força militar, pois, na hipótese, esta só existiria para apoiar a política americana, o que nem mesmo você deseja. De qualquer modo, os Estados Unidos da América só nos defenderão se o risco, para eles, não for demasiado grande.

B. É exatamente esse o ponto. Você gostaria de uma resposta que não se pode dar com certeza, assim como não se pode garantir a fidelidade recíproca de dois esposos.

O verdadeiro problema é este: qual o risco que vale a pena correr – construir com base em uma fidelidade ou permanecer soberano, isto é, sozinho? A segunda alternativa conduz seguramente à ruína; a primeira é uma aventura nobre, que pode ser bem-sucedida, embora não haja certeza disso. Nessa aventura, um dos participantes não pode alcançar êxito sem o outro. Associados a todos os países livres, vivemos sob a hegemonia dos Estados Unidos da América, aos quais sem dúvida sacrificamos nossa soberania em matéria de política exterior, mas não sacrificamos o direito de participar dos debates com a voz da razão e, sobretudo, não sacrificamos nossa soberania em matéria de política interna.

Diga você isto ou aquilo, o que se vê no horizonte político é o seguinte: enquanto a Rússia conservar o seu colossal armamento, enquanto pudermos temer, além da Rússia e para época ainda indeterminada, uma China talvez mais poderosa, só sobreviverão os que puderem dispor de poderio militar equivalente. No mundo livre, esse poderio só pode surgir como consequência de uma associação submetida a líder único. Uma aliança não bastaria. São indispensáveis o comando único e uma política externa comum. O mundo livre deve alcançar no plano da liberdade, o que os totalitários alcançam em clima de repressão e de terror. Se a liberdade for incapaz de consegui-lo, não será liberdade autêntica, e perecerá.

Desejaríamos nós expor-nos ao provável destino da Índia? Em razão de sua neutralidade, de sua pretensa soberania, de sua moralidade herdada de Gandhi, a Índia muito se arrisca a não sobreviver. Se ela for conquistada pela China, as massas hindus e uma indústria desenvolvida à força de terror serão empregadas para conquistar o mundo, ao lado das massas chinesas, há muito inativas. Os tiranos da China se tornarão senhores do mundo. Permaneceremos como espectadores, permitindo que tenham lugar esses eventos, que ainda não são iminentes? Ou, juntando-nos ao Ocidente, contribuiremos para o reforço dessa soma de liberdades que poderá fazer frente à aterrorizante união daquelas enormes massas?

Desejaremos continuar a comédia que consiste em viver como um bando de galinhas que se atropelam e se bicam em soberana liberdade, como um punhado de galos presunçosos que batem estupidamente as asas – e que, ao fim, só servem para a degola?

A. Você está sonhando. Eu apoio a *Realpolitik*.

2. Testemunhas dessa conversa entre A e B, que pudemos observar?

Em geral, as discussões não descem ao fundo da questão. Os interlocutores lançam, um ao outro, frases sem maior fundamento. Muda-se de assunto com frequência. As sentenças não têm centro de interesse comum. As pessoas se deixam levar pela emoção. A todo instante, foge-se a uma resposta direta ao que foi proposto. Não se alcança qualquer resultado. A discussão cessa ou os interlocutores se apartam.

Do que decorre isso? E como conseguir debate proveitoso? A esse respeito eu gostaria de deixar expressas algumas ideias.

a) Antes do mais, a falha se deve à confusão e errônea identificação de duas realidades: o juízo de fato e o juízo de valor. Num debate, os interlocutores deveriam pôr-se de acordo a respeito dos fatos. Por outro lado, a vontade, que se propõe um objetivo, não pode ter sua orientação justificada apenas pelo conhecimento. Entretanto, como a vontade de um ser honesto e razoável não é cega, poderia ela ser esclarecida pelo processo de pensamento que se desenvolve durante o debate.

Nesses termos, o debate seria bem diferente. Os adversários estariam melhor esclarecidos a respeito do que, no fundo, pretendem. Ambos tentariam limitar-se às "posições últimas", chamando atenção para as consequências lógicas através da pergunta: "É exatamente isso que você quer?". Dessa forma, os interlocutores, inspirados pelo desejo comum da verdade atingiriam o campo de batalha último, onde as forças reais que eles representassem se veriam face a face. Aí, homens autênticos – a despeito da oposição radical – poderiam encontrar-se em comunicação englobante. Não estariam inteiramente à mercê de forças que os lançam um contra o outro. Concordariam em ser o campo de luta onde, elevando-se acima do conflito, pudessem reencontrar-se como homens, de maneira cavalheiresca. Estariam de acordo num abrangente em cujo seio estão condenados a se encontrar, em dada circunstância da História, como adversários.

Eis as condições de um debate proveitoso: ambos devem desejar saber; determinam os fatos verificáveis e as contradições;

ouvem um ao outro; nenhum dos dois recorre a subterfúgios. E ambos devem desejar a recíproca manifestação dos propósitos últimos que os movem.

b) Segunda razão para a falha dos debates é neles se contraporem opiniões igualmente justificadas.

Certo é que, para poder discutir, importa supor que todas as opiniões estejam efetivamente justificadas; dessa maneira se demonstra que cada um dos interlocutores tem o outro na conta de pessoa razoável. Mas, de maneira alguma cabe admitir, *a priori*, que uma opinião seja tão procedente como qualquer outra. Em que medida cada uma delas procede, será demonstrado pelo desenvolvimento e alterações que sofra ao longo do debate.

Quando se tem boa fé, não se pode admitir uma opinião diferente, a não ser para acompanhar, a título de concessão, os argumentos do adversário. O bom interlocutor ajuda intelectualmente aquele com quem se defronta. Essa atitude encontra obstáculos no apego aos interesses materiais, no desejo de ter razão e na escravização a fórmulas vazias de sentido. Nessas condições, não mais se ouve e não mais se responde.

Coisa diversa ocorre quando o obstáculo é representado por uma fé verdadeira. Quer esta se afirmar sem apoios. Não se trata de uma estreiteza de interesse pondo a seu serviço uma intelectualidade que se degrada em sofismas. Trata-se, ao contrário, do próprio desejo de verdade tendo a experiência do choque existencial de forças que não podem manter-se isoladas e não podem atuar, ao mesmo tempo, no mesmo homem. Só elas têm idêntica justificação no confronto incessante.

c) O debate político se ressente, enfim, de concepções demasiado estreitas ou demasiado fantasiosas a respeito do futuro.

Não é possível determinar com exatidão o que, dentre o provável, se concretizará. O potencial e o verossímil são imprevisíveis. Devemos pesar as possibilidades. Desejaríamos ser capazes de discernir as linhas gerais mais simples: elas se alteram mais vagarosamente que o passageiro tumulto do momento.

Essencial é saber que o futuro não está determinado: se buscamos divisá-lo é para fazê-lo propício. Desejamos antecipar o que nós próprios faremos surgir. Jamais é completo o conhecimento das realidades que especificam o futuro, de suas condições e potencialidades. É nosso dever buscar discerni-los para assumir, com o máximo de esclarecimento, uma outra responsabilidade – a responsabilidade pelos objetivos que nos propomos.

Nesse ciclo de conhecimento e responsabilidades, sabemos que os eventos decisivos do futuro e, em especial, os impulsos criadores da moral e da fé se encontram para além de nosso horizonte. O imprevisível é um dos componentes da História, mas não podemos incluí-lo em nossas expectativas, nem em nossos cálculos.

Diante da incerteza do futuro, o debate político ganha importância. Essa incerteza nos obriga a fixar os olhos em realidades que podem ser hoje percebidas, e nessas realidades os homens clarividentes enxergam os germes do futuro.

3. Concluamos indagando para que servem os debates políticos. São úteis para nossa autoeducação política e nos preparam para a ação. Correspondem ao fórum da vida política da nação. Se outra coisa fossem, não passariam de palavreado vazio, só de interesse para o psicólogo e para os técnicos em manipulação política.

Qual é, neste caso, o papel da reflexão filosófica? Esclarece o debate, esclarecendo-lhe os princípios e objetivos, mantendo presentes ao espírito os fatos essenciais e sua hierarquia, sondando o destino da humanidade e, em resumo, incluindo a política na indagação: para que vivemos nós?

VI

A POSIÇÃO DO HOMEM NA POLÍTICA

1. A política é uma tensão entre dois polos: a violência possível e a livre coexistência.

Contra a força, faz-se necessária a resistência pela força, a menos que se esteja disposto a admitir a própria escravização ou a própria destruição. A livre coexistência cria uma comunidade por meio de instituições e de leis. A política da força e a política da parlamentação opõem-se por natureza: a combinação de uma e outra tem constituído a prática política até os dias de hoje, e talvez por tempo indeterminado.

Distingue-se entre política interna e política externa. Saber qual delas predomina depende da situação de uma comunidade frente a outras. Ocorre, por vezes, que as duas formas se entrelaçam. A política externa é produto da política de força, para a qual todo discurso é um estratagema. Contudo, graças a tratados e ao direito internacional, a política externa tende a um ponto em que estará suficientemente transformada para excluir a violência. Quanto à política interna, assume ela certos aspectos da política externa quando, em meio à luta, os políticos recorrem à trapaça, à mentira, à conspiração e à injustiça, até que estoure a guerra civil ou que um dos grupos se deixe dominar pelo outro.

É ilusão acreditar que o poder político é o poder da violência. Grandes eventos históricos mostram que pode haver ação e poder sem recurso à força. Por outro lado, é também ilusório ver a política apenas como edificação da sociedade em clima de liberdade, enxergando a violência como anomalia de sentido oposto ao da política. Prova do contrário é o fato de que, nos bastidores, a força permaneceu sempre como sanção possível. Quando a opinião pública tende a esquecê-lo, como nos calmos tempos anteriores a 1914, a violência não tarda a irromper e a exibir sua majestade sombria.

2. A história da política nos amedronta; mostra os homens como demônios. Desde os primórdios se manifesta o instinto de dominar, tiranizar, matar, perseguir, torturar. Ocorre, por vezes, que esse instinto se recolha ou pareça domado. Mas é ilusão.

Sem embargo, sejam o que forem, os homens estão obrigados a viver juntos. É uma condição para sobreviverem. Desde o princípio, por consequência, os homens viveram em comunidades nas quais se ajudam uns aos outros, pelas quais se defendem uns dos outros e das quais saem uns e outros – mas não todos – para a conquista e para a pilhagem.

Espanta ver como o homem é violento e obtuso: é surpreendente que os homens tenham chegado a coisa diferente de simples hordas de bandidos. E, contudo, vieram a criar ordens políticas, Estados de direito, comunidades de cidadãos. Para que isso tenha sido possível, hão de ter agido poderosas forças de outra origem.

As sociedades humanas jamais triunfam dos instintos de violência. Consequentemente, são sempre injustas e devem aprimorar-se constantemente. A par disso, como as situações históricas não se repetem, impõe-se que as sociedades estejam em contínua evolução. Não podemos instalar-nos no mundo de maneira definitiva. Os homens nada fazem perfeito. Como diz Kant com indulgência: "em madeira torta não se pode esculpir algo que seja inteiramente reto".

Da luta entre o caos da existência e os princípios de ordem nasce a História.

3. Por essas razões, a política é o mais importante dos instrumentos no que diz respeito à nossa coexistência no mundo. Os homens de Estado são tidos em alta conta, em razão do poder de que dispõem e porque atuam sobre o destino de muitos. Homens e nações os aclamam ou maldizem. Eles ganham estatura de enormes proporções. Mesmo quando semeiam infelicidade e destruição não caem no olvido. Os homens e suas ideias políticas podem ser avaliados, se conhecermos os nomes dos estadistas a que dedicam admiração.

Quanto a nós, entendemos que o homem de Estado é grande quando se reconhece responsável pela liberdade.

Essa grandeza não consiste no poder cruel de um tigre de alma humana, como César, nem no poder de destruição de um inseto astuto, misteriosamente afinado com as situações de poder como Hitler. Obedecendo a César, uma grande nação teve um último instante de grandeza, fazendo surgir ao mesmo tempo os inimigos que o matariam em nome da liberdade. Hitler nos rebaixou – ao conjunto do povo alemão e a cada um de nós em particular e, particularmente, aos que o seguiram – sem que surgisse alguém que, inspirado pelo ideal de liberdade política, fosse capaz de destruí-lo.

O senso de responsabilidade, próprio dos grandes estadistas como, digamos, Sólon e Péricles, os leva a conciliar as duas realidades, a força e a liberdade, pela razão não violenta. Subsistir pela violência exige a vilania e a mentira: a razão exige a franqueza e o respeito aos compromissos. Para subsistir, é preciso que se assuma responsabilidade pelas consequências de uma ação política praticada no interesse do poder nacional. A razão implica também o sentido moral que só admite o êxito, a violência e o poder que se colocam a serviço da missão suprapolítica do homem.

Do ponto de vista da pura afirmação política, um grande estadista só pode ser acusado de irresponsabilidade no caso de preferir desdenhar o êxito e o poder a sacrificar sua integridade. Não há padrão universal. A maneira como o caráter se integra à responsabilidade pelas consequências da ação política e a maneira como o senso de responsabilidade passa a constituir caráter corresponde, em cada situação, a uma decisão histórica e não a uma média que se possa determinar.

O político de baixo nível é o que não experimenta aquela tensão. Segue a linha de menor resistência e faz o que promete maior vantagem. O grande político é o que, em tensão, encontra a forma de agir que lhe permite autoafirmar-se, elevando-se a seu povo e a si mesmo à dignidade do Humano. Ele não pode abandonar-se à *Realpolitik*, ao oportunismo. Não admite comprometer moralmente a comunidade nacional pela prática de atos repreensíveis, ainda que, de momento, pareçam convenientes. Por meio de seu próprio agir, educa seus concidadãos. Não se agarra ao poder a qualquer preço, quando sua consciência política e moral lhe proíbe subscrever o que é contrário à dignidade e aos interesses da nação.

4. O objetivo da política pode ser resumido em uma frase: com liberdade política, o homem se torna autenticamente ele próprio, livre para ordenar os negócios internos da nação e para afirmar-se face ao exterior.

A questão suprapolítica à qual está subordinada toda política é a seguinte: como deve a política orientar-se para merecer nosso total assentamento? A resposta está na proposição que ora repito: só a liberdade política pode fazer, de nós, homens autênticos.

A violência deve ser abolida pela política, no interesse da dominação do direito e da liberdade pessoal. A esta um só limite se coloca: pode coexistir com a liberdade dos demais.

A política pretende subjugar a violência por meio do debate, do pacto, da busca de uma vontade comum através de caminhos legais. Para que a tal resultado se chegue, é preciso contar com certa espécie de político. Esse político não deve aspirar à ditadura, porque não se interessa por governar escravos. Deve pretender poder temporário, na medida em que mereça a confiança do povo – confiança de cidadãos e não de súditos – e deve inclinar-se pela renúncia, tão logo decaia daquela confiança. Deve odiar a força, sendo demagogo no sentido literal da palavra: educador do povo. Em situações concretas, deve traduzir os verdadeiros desejos do povo, expondo fatos e razões, de sorte que o próprio povo, examinando os argumentos oferecidos, possa reconhecê-los como seus e encher-se de entusiasmo pela decisão tomada. Após milênios, palavras e feitos desse tipo de homem continuam a merecer lembrança.

5. Não cabe supor que a liberdade política brote do nada. O primeiro estágio da história foi de liberdade apolítica, viva. Longe de ser vazio, o desejo de liberdade, preso aos laços comunais, conservava a substância da tradição social. Como se teria originado essa liberdade ainda inconsciente de si mesma é mistério incompreensível. Falar de caracteres raciais ou étnicos não é uma explicação e rouba grandeza àquela liberdade.

A liberdade na *polis* grega apoiou-se no desejo de liberdade acalentado pelos gregos desde Homero e dos jônios: o primeiro momento de culminância dessa liberdade confundiu-se com a figura singular de Sólon e à sua perfeição chegou-se na guerra contra os persas e consequências daí advindas. A vida livre dos camponeses suíços constituiu-se na premissa da Confederação do século XIII que, num documento baseado em princípios admiravelmente simples, definiu, ao mesmo tempo, a liberdade interna e a aceitação, sem reserva, de qualquer sacrifício para repulsa de agressão externa. A liberdade norte-americana foi expressão do caráter dos "Pilgrim Fathers" e da maneira de vida de diversas comunidades; foi na rebeldia contra a Inglaterra que se estruturaram os primeiros Estados e, depois, a Federação.

Em todos os lugares, foi sempre *a posteriori* que se desenvolveram as doutrinas através das quais os fundadores e seus continuadores deixavam assentado o que desejavam preservar.

Afirmou Kant que os eventos mais importantes da História moderna foram as lutas de independência suíça, holandesa e inglesa. Dentro do mesmo espírito, mas com originalidade renovada, seguiu-se a luta dos norte-americanos. Admiramo-nos diante da coragem, do ardor, da moderação, da prudência de todos esses heróis da liberdade que encontravam em si mesmos o impulso necessário para se fazerem mais inteligentes e mais prontos ao sacrifício, superiores às massas que só escutavam a voz da violência.

Em cada uma de suas manifestações, essa liberdade genuína durou apenas um instante; para nós, os pósteros, o fato permanece como exemplo e estímulo.

6. Terrível é que a liberdade abrigue, em si mesma, o germe da corrupção.

O mundo da liberdade política estará perdido se não aparecerem, a cada geração e por meio da educação de homens livres, os grandes estadistas. Estes, através de todos os seus atos, estão lutando pela liberdade, em meio às vicissitudes da liberdade. Conhecem os perigos que os rodeiam. Consideram compensador o risco enfrentado, pois está em jogo o mais precioso bem da humanidade. São dotados de coragem, sagacidade, paciência. Deles se pode dizer o que se disse de Péricles: desde que passou a governar Atenas, nunca mais o viram rir.

Os políticos são diferentes. Oportunistas, facciosos, forjadores de mentiras e de intrigas. Inescrupulosos, agem, em nome da liberdade, contra a liberdade. Envolvidos, escapam pela via de palavra falsa ou espirituosa. Ofendem, pela maneira de portar-se, o Parlamento a que pertencem e que, sendo-lhes afim, parece não dar-se conta das ofensas e nem lhes ocorre expulsar esses conspurcadores do espírito da política. Com palavras sentimentais, eles representam a comédia da seriedade. São coveiros da liberdade.

Carentes de vocação, esses políticos encaram suas funções como um simples emprego, vantajoso, sob todos os aspectos, com bom salário, direito a aposentadoria e sem qualquer risco. Não pensam em termos de responsabilidade. Esse o motivo por que, incapazes de reação a qualquer perigo, submetem-se, como em 1933, a qualquer força que lhes ofereça aparente segurança ou proteção. Nada foi mais humilhante para os políticos alemães e para a nação representada – e também nada foi mais merecido – do que o desprezo que por eles mostraram Hitler e Goebbels em discursos arrasadores.

O mundo livre é, sob esse ângulo, um espetáculo de ambiguidades. Nós, povos livres, estamos ainda longe de ser politicamente livres. A prosperidade, o conservantismo, a agitação pela agitação não bastam para fazer surgir a liberdade. Diminui a aristocracia dos cidadãos esclarecidos. A divisão das responsabilidades gera a irresponsabilidade. A democracia degenera em oligarquia de partidos. O que se tem por cultura não passa de bolhas de sabão em salões literários. O espírito perde densidade.

Como consequência, as nações não se sentem ameaçadas pelos tremendos perigos que sobre elas pesam. Quando muito experimentam receio, que se desvanece tão logo se afasta o perigo imediato. Poucas percebem para que destino as está conduzindo a liberdade – a elas próprias e ao mundo.

7. Esse estado de coisas, que parece tão solidamente fundamentado na prosperidade, pode alterar-se bruscamente, quando massas e intelectuais, sem raízes mais firmes, amadurecem

para a sociedade totalitária. Quando, por não mais compreendê--la, olha-se a liberdade como coisa exterior, já se tomou o caminho da escravidão, no clima de futilidades de um mundo sem fé. É como se, em meio à agitação política e intelectual, a Alemanha viesse, há décadas, cavando a tumba de sua liberdade; é como se, após o bem-sucedido resgate da Alemanha Ocidental, que teve lugar graças a estrangeiros, perigo semelhante a ameaçasse agora, vindo do interior. Mas esse perigo não está ameaçando todo o Ocidente?

8. Diante dos sinistros sinais de nossos tempos, as objeções fundamentais que se fazem à possibilidade mesma da liberdade ganham sedução nova.

Não é a liberdade política uma utopia? Não se trata de um simples estado de espírito, que se vem repetindo em alguns ocidentais, desde a época dos gregos? Não é a liberdade rejeitada, na prática, pela maioria dos homens do Ocidente e por todo o resto da humanidade, que a ignora?

Eu não gostaria de esquecer os homens que jamais conheceram e jamais se empenharam por liberdade política, atingindo, entretanto, no campo do pensamento metafísico, da poesia e da arte, profundidade que nos parece miraculosa.

Não me agradaria também negar a grandeza de certos soberanos da China e da Índia ou de civilizações mais antigas, desde a sumeriana. Mas, ainda quando nos julgamos próximos delas, há sempre algo que, em tais civilizações, permanece estranho e antipático a nossos olhos. Em nossa Idade Média encontramos também grandes personagens como que inconscientes da própria grandeza (e, por isso mesmo, tanto mais impressionantes), mas entre elas e nós parece colocar-se um abismo que as torna ainda mais inquietantes. Isso jamais acontece, quando a liberdade política é desejada, concretizada, ou quando sua ausência é dolorosamente sentida.

Não podemos, por outro lado, afirmar que a História assinale contínuo progresso da liberdade. No mundo ocidental, desde Israel e os gregos, desde a *polis* e a república romana, desde as comunas e os camponeses livres da Idade Média e nos países modernos, herdeiros dessas tradições, têm havido poderosas erupções de liberdade, que sempre nos surpreendem porque nos lembram ilhas num oceano de servidão, ilhas infinitamente preciosas, mas sempre ameaçadas.

A liberdade política só floriu em círculos restritos. Em países isolados, como a Islândia antiga, ela se tornou realidade grandiosa, embora não houvesse atingido a estatura espiritual que teve na Grécia, na Holanda ou na Inglaterra. Em todas as partes, contudo, a liberdade não tardou a fanar. Na imensa maioria dos povos e de Estados, a realidade se opõe à liberdade.

Os fatos parecem apoiar a mais séria das objeções: a liberdade é impossível porque exige demasiado do homem. A situação inevitável, poderosamente desafiadora, mas também exposta aos maiores perigos, é a seguinte: para tornar-se verdadeiramente homem, o homem deve ser livre, o que ele não pode ser como partícula humana em meio à massa de um povo.

9. A partir desta objeção deduz-se a necessidade de uma autoridade incontrastável. Que sempre existiu. Hoje em dia esse tipo de autoridade está a ponto de conceder à Rússia e à China a hegemonia no mundo.

Em verdade, se se repele a liberdade política, só resta o autoritarismo, o domínio da minoria sobre a maioria, em nome de uma autoridade que todos devem reconhecer.

Mas a esse autoritarismo opõe-se uma verdade indiscutível: são sempre homens que governam homens. No mundo, jamais encontramos Deus ou a verdade absoluta. São homens que, em nome de Deus ou da verdade absoluta, reclamam para si a autoridade.

Não há por que depositar fé nessa autoridade. Sob todas as suas formas, ela se desacredita pela prática de atos vergonhosos, baixos, degradantes.

10. Não cabe proceder como se a liberdade se impusesse por si mesma e independesse de nós.

Teria procedência afirmar que a liberdade é inerente à natureza do homem?

Quanto a esse ponto, não há evidência de verdade. Trata-se de uma decisão que diz respeito ao modo de pensar do homem todo e de cada indivíduo em confronto com seus companheiros de destino político.

Colocados diante de uma encruzilhada, devemos saber para que vivemos, em que sentido podemos construir o futuro, na medida em que isso está a nosso alcance. São a inteligência e a vontade que decidem. Pela reflexão filosófica, elas se identificam a nós.

Por certo que, dentro do clima da liberdade, o risco de perdição é grande e possível a perdição total. Mas, sem liberdade, a perdição é inevitável.

A liberdade política, mantendo consonância perfeita com a inata dignidade do homem, autoriza a esperança. A outra alternativa é, *a priori*, sem horizontes. Se abandonamos a coragem da razão, sobre a qual se baseia a esperança, desprezamo-nos a nós próprios.

E ainda que o homem se visse avassalado pela violência, sua verdade continuaria a ser a de encaminhar-se para a liberdade. Esta não é refutada pelas suas negações, assim como o esplendor da Terra não se anulará, ainda que nosso planeta venha, um dia, a dissolver-se no cosmos.

VII

CONHECIMENTO E JUÍZO DE VALOR

1. Todo homem que atinge consciência plena, afirmamos, deseja a liberdade política. E mostramos, de outra parte, o que se opõe a essa afirmativa: a maneira como vive a maioria de nossos contemporâneos; a evidência histórica de que as tentativas de concretizar a liberdade política têm, até o momento, conduzido a fracasso; e, finalmente, a tese segundo a qual o homem é incapaz de liberdade política, porque esta dele exige em demasia.

Dada a diversidade de opiniões e a falta de clareza nas discussões relativas à liberdade política, faz-se necessária distinção radical no que diz respeito à verdade mesma. A verdade, que é válida para todos, distancia-se muito da convicção, que é a verdade de que vivemos no momento. Esperamos, justificadamente, que, tendo atingido o conhecimento reto, o homem admita essa retidão – e a experiência mostra que assim ocorre. Não podemos esperar o mesmo da convicção pessoal, pois esta não é, de maneira alguma, universalmente reconhecida – e, se esperarmos o contrário, a experiência nos dará lição cruel. Não temos o direito de exigir que nossas convicções pessoais sejam admitidas pelos outros.

2. Esse problema de distinção entre a correção científica e a verdade da convicção põe-se não somente no campo do

pensamento político, não somente com referência à liberdade política, mas coloca-se face a todas as questões vitais.

A multiplicidade das convicções em choque nos afeta a todo instante. Confrontados com oposição e hostilidade temos de tomar uma decisão fundamental: admitimos ou não admitimos que todos partilham de uma humanidade comum? Se o admitimos, não há por que tratar os que pensam de maneira diferente da nossa como inimigos, como pessoas que devem ser ignoradas ou cujo aniquilamento seria desejável.

Mas, por assim agir, parece que temos de exigir de nós mesmos algo insensato. Devo, em pensamento, afastar-me da verdade, afastar-me de minha verdade para tentar acompanhar, em pensamento e sentimento, possibilidades alheias, buscando atingir o homem para quem elas são realidade. Dessa maneira, fazemos uma experiência de relação: só pensando com outro e em relação a outro nos tornamos mais certos de nós mesmos.

Nós e o outro não queremos a mesma coisa. Mas, quando encontramos uma vontade contrária, devemos calar-nos os dois e recorrer à violência – na vida comum, à força física de nossos músculos e, no debate, à violência intelectual, que é o sofisma? Nossa humanidade comum pede algo diferente: se a verdade parece múltipla, devemos tentar esclarecê-la. Isso requer energia intelectual e disciplina. Em vez de nos obstinarmos a afirmar nossa opinião, buscamos razões. Em vez de afirmar "Assim é que eu sou", reconhecemos ignorar o que, no fundo, somos e reconhecemo-nos suscetíveis de mudar.

Numa discussão hostil entre indivíduos inflexíveis, cada qual busca impor sua opinião ao outro; num debate aberto entre indivíduos esclarecidos, ambos querem assegurar-se da posse da verdade.

Esse tipo de diálogo – método civilizado de encontrar caminho comum, mesmo quando há oposição entre os que o procuram

– exige o preenchimento de certos requisitos básicos. Quem se dedique à filosofia deve tê-los profundamente impressos em seu próprio pensamento. Um desses requisitos liga-se ao tema de que nos ocupamos: já o mencionei e volto a repeti-lo: importa estar convicto de que o conhecimento científico difere radicalmente do conflito intelectual entre forças opostas. Não obstante, a pureza do conhecimento científico e a clareza que se consiga nos conflitos de ideias se estimulam e se favorecem mutuamente.

3. Ao começo do século atual, fazia-se urgente o esclarecimento desse problema no domínio das ciências. Na época, Max Weber se empenhava, com desusada paixão, no sentido de assentar que o conhecimento científico se desligasse de considerações de valor: a ciência deve limitar-se ao que lhe é acessível, ou seja, ao que pode ser conhecido de maneira empírica e lógica e, portanto, capaz de impor-se a todos. A verdade da ciência não esgota a verdade, mas o caráter da verdade que lhe é própria deve ser reconhecido por todos: independentemente de credos religiosos ou maneiras de ver, independentemente de partidos ou interesses.

Esse mesmo princípio fundamental admite formulações diversas: o conhecimento do que é não autoriza juízo a propósito do que deveria ser. O que sei não coincide com o que desejo. O empiricamente verificável não é o que só pode ser apreendido pela fé. Conhecimento não é responsável participação no mundo. Contemplar não é agir, observar não é existir.

O primeiro tipo dessas atividades só nos mobiliza enquanto inteligência que adquire conhecimentos válidos e universais. O segundo tipo nos mobiliza inteiros, ser que se encontra com outros na multiplicidade existencial. O primeiro só nos envolve impessoalmente na coexistência histórica. No que diz respeito ao universalmente válido, podemos começar desunidos, mas se o compreendemos bem, viremos infalivelmente a concordar.

Quando discordamos em matéria de fé e vontade, contínuo esclarecimento recíproco é possível, mas cabe esperar luta improfícua.

Isso nos mostra as limitações da ciência: os fatos não nos fornecem normas obrigatórias. Nenhuma ciência empírica nos ensinará o que devemos fazer; só nos ensina o que podemos obter por este ou aquele meio, se nos propomos este ou aquele fim. A ciência não pode provar que a vida tenha sentido, mas pode levar-me a perceber a importância ou não importância do que desejo, conduzindo-me, assim, a alterar propósitos. Pode dar-me consciência de que toda ação e toda inação têm consequências, esclarecendo quais são. Pode mostrar-me que, se quero viver, não posso deixar de tomar partido face ao choque de forças, evitando, assim, encontrar-me à deriva, condenado à desordem e ao nada.

O debate em torno dos juízos de valor desencadeou processo que aos pensadores da época pareceu de excepcional importância. Alguns o consideraram ameaça ao trabalho a que se vinham dedicando por uma vida inteira, ataque à consciência científica: outros o consideraram renovação do próprio espírito dos pesquisadores no que dizia respeito à atitude perante a ciência. Os primeiros se rebelaram contra Max Weber, aceitando complacentemente as pretensões tradicionalmente nebulosas e arrogantes da ciência; nos outros, a aspiração pela ciência pura tornou-se uma flama.

Naquela ocasião, o problema permaneceu como questão a ser discutida dentro dos limites do mundo científico de economistas e historiadores, como questão a ser examinada em congressos. Em 1914, os mais eminentes adversários de Max Weber organizaram uma reunião secreta, com o duplo objetivo de promover um debate sem restrições e de evitar o sensacionalismo. O encontro realizou-se em Berlim e desenvolveu-se a partir de comunicações apresentadas pelos participantes. As discussões devem ter sido muito violentas. Conta-se que, ao retirar-se, Max Weber disse: "Eles não me compreendem". Com a I Guerra Mundial, problemas desse gênero passaram a segundo plano. Max Weber faleceu em 1920, mas a questão continua a ter interesse.

Em torno dela não há hoje unanimidade maior do que havia em 1914. Aparentemente, o debate perdeu em profundidade e em paixão. Muitas das dificuldades levantadas são de ordem lógica e admitem solução científica. Outras, que dizem respeito à substância do ser pensante, escapam a exame objetivo. A inclinação pela verdade que se coloca acima da ciência deve ser o critério, para que se possa emprestar, à mesma ciência, clareza máxima.

4. Nas ciências naturais, a distinção de que nos ocupamos não provoca dificuldade. Há muito, já foi feita. Desde que Galileu, recusando-se a distinguir entre figuras matemáticas nobres e não nobres, afirmou não ser o círculo mais nobre que a elipse, nem a esfera mais nobre que outras formas, o único problema que se coloca no estudo de corpos celestes e terrestres é o de saber o que a propósito deles se pode constatar empiricamente. Saber se uma coisa é ou não é mais nobre que outra constitui problema que escapa à ciência natural, à qual falecem razões para considerar isto mais nobre do que aquilo.

Coisa diversa ocorre no campo das ciências humanas, em história, política, sociologia, economia. Nestas ciências, com efeito, não nos contentamos, como nas precedentes, em constatar o que fisicamente existe, o que é diretamente acessível aos sentidos, o que é mensurável, o que se pode interrogar através de experiências. Nas ciências humanas, temos de compreender a significação perseguida pelos seres que agem, pensam, preveem e acreditam; nas ciências humanas, não nos contentamos com o conhecimento exterior das coisas, mas temos de apreender, no seu interior, o significado posto pelo homem.

Ora, o juízo é inseparável da compreensão de um significado. O significado apreensível pode, por exemplo, ser belo ou feio, nobre ou vil, bom ou mau. Na história do espírito, todos os juízos dependem das potências englobantes da verdade, que não é una.

Da liberdade dependem as potências da verdade a que sou sensível, aquelas com que me identifico e as que rejeito.

5. Basta uma frase para pôr em realce a dificuldade que existe para emprestar fundamento às ciências humanas: elas têm por objeto a liberdade do homem e, para a ciência, não há liberdade. Como é impossível fazer prova empírica da liberdade, as ciências humanas, enquanto ciências, estão privadas do elemento que as torna de interesse para nós e que, embora presente de maneira indireta, é elemento essencial.

Sempre que levamos em conta o homem histórico, e não apenas o homem natural, havemo-nos com a liberdade: de outro lado, quando conhecemos cientificamente, não podemos recorrer ao conceito de liberdade, pois ela não diz respeito a qualquer situação empírica e não temos o direito de utilizá-la, se não pretendemos transpor as fronteiras da ciência.

Em contraste com tal situação, sempre que interpretamos e compreendemos coisas que encerram significados, estamos a mover-nos no domínio da liberdade. Ela se manifesta através das coisas por nós compreendidas. E tais coisas só podem ser abordadas no campo das ciências humanas. Que se passa no processo de compreensão?

6. O sentido inteligível de uma ação, de uma ideia, de um poema ou de uma instituição pode ser apreciado de múltiplas formas e de formas, por vezes, diametralmente opostas. O método socrático de pensamento por exemplo, a despeito de uma interpretação una de seu conteúdo racional, foi visto ora como uma destruição da essência humana pelo pensamento conceitual,

ora, ao contrário, como liberação do homem na direção de si mesmo, graças à clareza de uma reflexão aberta ao universo, ao mesmo tempo que ciente de suas limitações.

À compreensão de um significado sempre se liga um juízo. Não é possível isolar a primeira atividade. Mas podemos suspender o juízo para aproximar-nos da ficção de um significado puro, que excluiria qualquer juízo.

Esse proceder só será possível, entretanto, se transformarmos nossos próprios juízos em objetos de investigação. Com efeito, quando julgamos que algo é bom ou mau, nobre ou vulgar, saudável ou pernicioso etc., esses juízos são, em si mesmos, realidades dotadas de significado. Compreendemos como se pode chegar a determinado juízo ou a seu contrário.

Quando compreendemos nossos próprios juízos, tornamo-nos mais livres com respeito a eles. Sem embargo, nenhuma compreensão permite que nos apropriemos das potências que produzem a significação inteligível e que, não obstante, estão presentes em nós.

7. Dessas potências gostaríamos de aproximar-nos tanto quanto possível, por meio da investigação. O método racional consiste em determinar os "pontos de vista últimos", impossíveis de ultrapassar, em estabelecer os axiomas além dos quais não haja como prosseguir na discussão, por serem eles ininteligíveis em seus fundamentos.

Mas é preciso aguardar os conflitos para discernir o que realmente importa ao homem. Só no instante concreto que faz necessária a decisão (e não no simples refletir a propósito dessa decisão) é que se revela o que, para o homem, tem prioridade; e percebe-se também se ele orienta sua vida segundo uma hierarquia que lhe dá estrutura ou, pelo contrário, se se perde na confusão de intenções cambiantes que velam o sentido da vida.

A delineação teórica dos "pontos de vista últimos" só é possível no quadro de uma construção racional. Não aceitamos – nem na esfera da ciência histórica, nem pessoalmente – que homens e acontecimentos possam ser exaustivamente explicados dessa maneira. Os "pontos de vista últimos" só esclarecem no contexto de objetivações racionais, mas nunca lançam luz plena sobre o que experimentamos e fazemos.

8. Através da indicação dos "pontos de vista últimos", gostaríamos de remontar à origem. Em vão, entretanto. Se denominamos potências aquilo para que os pontos de vista aparecem como simples fachadas, não se pode, em termos de razão, traduzi-las sob forma de uma ideia geral. Delas não se pode obter visão de conjunto. Não há como escolher entre elas, pois, quando escolho, já estou nelas mergulhado. As potências são parte de mim. A mim eu as incorporei – para falar a linguagem dos enigmas – antes do início do tempo. Embora tenha a experiência de sua realidade, não me posso referir a elas. Só posso oferecer como justificação o que torno racionalmente comunicável aos outros e a mim mesmo, o que se revela no mundo. Nessa racionalidade, permaneço preso àquelas potências. Elas se esclarecem através de tal relação e, nessa medida, adquirem realidade. Graças ao esclarecimento, podem transformar-se em mim. A operação que torna manifestos os pontos de vista implica a aparição de sinais que, para além de si mesmos, apontam na direção das potências.

Por meio dessas construções racionais, chegamos igualmente a alternativas que, se forem as últimas possíveis de atender, em cada caso, pelo conhecimento, não serão, apesar disso, alternativas absolutas. Eis algumas dessas alternativas:

Primeira: Ou as alternativas finais têm validez no mundo (e não são simples decisões relativas à situação e ao momento) ou a soma total da verdade conhecida é aceita sem alternativas.

Na primeira hipótese, o homem segue o caminho da razão, que não tem fim no tempo e, na segunda, admite a universalidade de uma verdade única e conhecida em comum.

Segunda: Ou desejo tornar-me transparente ou obedeço ao instinto de ocultar-me.

Na primeira hipótese, desejo comunicação ampla, mesmo com o que me seja mais estranho; na segunda hipótese, refugio-me em mim mesmo e recuso-me ao diálogo.

Terceira: Ou considero a liberdade política o mais elevado bem comum possível de atingir no mundo ou me disponho a aceitar um poder totalitário.

Na primeira hipótese, vejo sentido em arriscar a vida para não sacrificar a possibilidade de uma vida digna; na segunda hipótese, desejo apenas uma coisa: continuar vivendo e obedecer.

Quarta: Ou desejo a verdade – e a tudo o mais prefiro a honestidade e a incessante busca – ou a verdade me é indiferente e estou pronto a aceitar o sofisma e a doutrinação de um pensamento não livre.

Quinta: Ou permito que se dissolva na incerteza dos enigmas a corporeidade do transcendente – que, em verdade, jamais se pode fazer corporal – ou vivo com a corporeidade do absoluto, de Deus ou dos deuses, e insisto, por exemplo, em afirmar que Deus se fez homem.

Colocando as alternativas nesses termos, já se antecipa a decisão e a resposta, pois que uma das hipóteses é apresentada como erro de compreensão. Correspondem elas a alternativas vistas do ponto em que me encontro, sem que me seja possível localizá-lo no espaço.

9. Resumamos. O desejo de uma ciência pura tem sua origem no desejo existencial da verdade. A ciência deve renunciar ao que não tem meios de atingir, isto é, a formular julgamento,

seja através dos chamados juízos de valor ou juízos de fé ou juízos de vontade.

Tanto a inclinação pela ciência pura como pela pureza existencial dependem de uma decisão livre.

Aqueles que se esforçam por conseguir uma ciência pura aumentam as possibilidades de que todos os pensadores se ponham de acordo com referência ao que é suscetível de ser conhecido cientificamente.

Os que desejam viver em liberdade devem buscar amplo esclarecimento do conflito entre forças existenciais que se opõem. Através desse conflito veem abrir-se oportunidade de se relacionarem com seus oponentes na humanidade que ambos contêm.

À distinção entre conhecimento empírico e valores, questão vital tanto para a ciência como para a existência, está ligada a paixão que não é apenas paixão de investigar, mas que brota de fé no sentido da verdade.

A paixão que liberta a ciência pura dos juízos de valor caminha a par da crença em que a significação do homem reside na verdade e essa crença opõe-se a todas as crenças que denegam e rejeitam a verdade.

Longe de se manter estática, essa paixão pela verdade faz-se movimento em direção à própria verdade. Com efeito, o que seja a verdade e em que múltiplos sentidos a verdade existe é questão que jamais se resolve.

O mesmo ocorre com respeito à distinção, aparentemente simples, entre juízo de fato e juízo de valor. Dela deriva inclinação por investigar os próprios juízos de valor, tornando-os objeto de conhecimento. A distinção geral é simples, mas sempre novo o procedimento no caso concreto.

10. Refletindo acerca do conhecimento empírico e do juízo de valor, libertamo-nos dos preconceitos em que nos vemos presos pelo pensamento não meditado. A inocência ignorante

da unidade aparentemente natural entre conhecimento empírico e juízo de valor é uma falha de tomada de consciência, falha, por assim dizer, autoinfligida: podemos dela nos desvencilhar.

E nos tornamos livres pela distância a que nos situamos em relação ao mundo e a nós mesmos. Essa distância torna-se ingrediente essencial de nossa atitude a respeito da ciência e de nossa concepção da vida. Uma se reflete sobre a outra.

No pensamento filosófico, essa distância é também chamada consciência metodológica: conheço o processo de meu pensamento, contemplo o caminho que percorro, experimento a significação particular e as limitações de cada uma das formas de pensamento.

A ausência de distância me impede de chegar a mim mesmo, porque sou envolvido pelo fluxo das coisas, em meus pensamentos e imagens, sem ser eu próprio.

Mas, estando a distância, onde estou? Na realidade que sou eu; graças ao distanciamento, atinjo minha mesmidade real, identificando-me, pela primeira vez, com a consciência plena: tenho consciência de participar inteiramente, mergulhado que me vejo na realidade histórica.

Em que sentido a distância me libera? No sentido do afastamento de entraves em minhas relações com a transcendência, no sentido de independência quanto à maneira em que experimento minha total dependência no ser dado a mim mesmo.

VIII

PSICOLOGIA E SOCIOLOGIA

1. A psicologia e a sociologia projetaram-se como ciências experimentais há apenas cem anos. Reclamam, hoje, um papel de primeiro plano, que lhes é reconhecido. Deram margem a vasta bibliografia, que tem exercido sobre o pensamento contemporâneo influência difícil de superestimar.

Ambas encerram um núcleo de genuína ciência. Constatam fatos. Recorrem a métodos suscetíveis de definição e utilização de maneira crítica (coleta de material, experiências, observação e descrição, entrevistas, questionários, estatísticas, pesquisas históricas e biográficas, relato de casos). Efetuam análise por meio de distinções conceituais, de esquemas de complexos de significação e de esquemas de complexos de situação.

Não falarei, aqui, dos notáveis resultados científicos alcançados pela psicologia e pela sociologia, mas das perversões sofridas por essas ciências. Tais perversões – e não as ciências mesmas – exercem devastador poder em nossa época.

Primeiro: Os efetivos resultados conquistados se afogam em meio à parlapatice vulgar. Isso obscurece o espírito humano, enfraquece-lhe o poder de julgamento, oculta a realidade e, como um parasita, destrói as potencialidades existenciais do homem.

Segundo: Mais que quaisquer outros, dois pensadores, Marx – no campo da sociologia – e Freud – no campo da psicologia –

elaboraram, com enorme poder de observação e construção, a par de conceitos acertados, concepções falsas e catastróficas. Esses dois homens de ódio, à semelhança de profetas, inspiraram fé. Foram seguidos por homens que, afastados da igreja, não se haviam ainda voltado para a filosofia. Como os dois autores citados eram pensadores de alta categoria intelectual e ofereciam resultados palpáveis, a pseudocientífica profecia a que se entregavam os aureolava de prestígio aos olhos dos que a superstição da ciência deslumbra.

De início e de maneira simplificada, mostrarei como psicanalistas e marxistas entram em debate conosco.

2. Certa vez, na década de 1920, seminário que eu orientava a propósito da concepção kantiana de liberdade foi subitamente interrompido.

Um estudante marxista afirmou: tudo isso não passa de ideologia burguesa. Devemos tomar o pensamento de Kant como uma superestrutura – só assim é possível compreendê-lo.

Minha resposta: A concepção de liberdade em Kant está penetrada de uma inteligibilidade que se dirige ao homem como homem. Queira mostrar como se relaciona ela com uma particular classe social.

O marxista: A noção de liberdade é uma falácia com que a burguesia se engana a si mesma. Não há liberdade individual. Só há liberdade para seguir a evolução necessária da sociedade, tal como nos foi revelada.

Eu: Você nega a liberdade pessoal. E sabe, naturalmente, que também Kant nega a liberdade enquanto realidade empírica e suscetível de investigação. Na existência empírica, examinada sob o inevitável signo do causal, a liberdade, diz ele, não existe. Eis, porém, o ponto essencial: nós, homens, somos mais que um objeto de estudo por parte da psicologia e da sociologia. Se não quisermos desprezar-nos, teremos de prestar ouvidos ao imperativo categórico brotado de nosso íntimo. Esse imperativo pode apresentar-se mais claro graças a elevados pensamentos filosóficos, mas não pode ser determinado cientificamente. Embora a filosofia seja pensamento metodicamente rigoroso, não é ciência. O ponto, afinal, é o seguinte: você nega a experiência existencial do imperativo íntimo?

Marxista: Nego-a. Ouço o imperativo da história e sua linguagem na linha do Partido e não o imperativo das fantasias individuais. Seu pensamento é irracional. Eu me apego à razão clara.

Eu: Quem lhe revelou o curso da história em seu todo? Cada uma das coisas cognoscíveis é apenas um elemento no fluxo imensamente complexo dos acontecimentos. Esse fluxo jamais é apreendido pelo homem – não é compreendido *a posteriori* como necessidade, nem é antecipadamente conhecido como futuro. Sem dúvida, você sabe que a maior parte das previsões feitas pelo próprio Marx se revelou falsa.

Marxista: Em minúcias. De modo geral, com sua concepção materialista da história e com seu processo dialético, Marx revelou-nos o curso integral da história.

Eu: Uma vez que considera a realidade espiritual como uma superestrutura dos interesses de classe, você está obrigado a enxergar, no curso da história e na doutrina das superestruturas, uma ideologia de sua classe.

Marxista: De maneira alguma, porque no proletariado, enfim e pela primeira vez, o homem se realiza enquanto homem. Essa realização faz com que desapareçam as classes. Não há mais necessidade de ideologia: graças à ciência criada por Marx, atingimos o conhecimento que a nós todos inspira.

Eu: A forma de pensamento que vê o espiritual como superestrutura e não como de origem independente poderia, talvez, aplicar-se a muitos marxistas, anteriormente a haverem empolgado o poder. Os que não lograram êxito – proletários ou burgueses arruinados – buscaram um substitutivo: o proletário compensa a vida miserável que levava acreditando num paraíso terrestre; o burguês arruinado compensa a sua moral perdida num *status* de que ele, tornando-se revolucionário em imaginação, participa com as massas.

Marxista: Rejeito sua psicologia. Trata-se de grandes processos da história, que desembocam na verdadeira ordem social. Como não é capaz de ver as coisas de frente, você se desvia para questões pessoais e incide em falha psicológica.

Eu: É exatamente isso que lhe reprovo em seu julgamento da filosofia de Kant. Você se desvia do problema central em virtude de uma concepção sociológica das coisas, concepção que nunca permitirá que se perceba a verdade contida na filosofia de Kant.

Eis o que lhe proponho no quadro deste seminário: façamos nós dois abstração de interpretações psicológicas e sociológicas, igualmente impróprias, e ocupemo-nos da filosofia de Kant para indagar o que se contém nas ideias enquanto ideias.

Queremos compreender essas ideias? Cada um decidirá. É exigência que a ninguém se pode fazer. Mas não lhe parece que eu esteja no direito de supor que todo aquele que comparece a um seminário sobre Kant decidiu compreender suas ideias? Falamos de Kant e não de Marx.

3. Eis, agora, em versão também simplificada, outro debate, travado também na década de 20.

Psicanalista: Nossa realidade básica é a libido sexual. Se a recalcamos, sublimando-a, atingimos a espiritualidade; se a sublimação falha, suscita-se uma neurose.

Eu: Parece-me que uma concepção filosófica, uma visão espiritual, uma obra de arte, um conceito científico têm significado que é válido por si mesmo. Por vezes, é possível apontar as condições causais dos estados psicológicos de que essas criações derivam. Os últimos poemas de Holderlin e os últimos quadros de Van Gogh não teriam surgido como surgiram, não fosse a insanidade mental. Mas isso nada diz contra a originalidade do sentido dessas criações. Não vejo prova empírica da tese segundo a qual a expressão produziu grandes obras na ordem espiritual. Mas, ainda que essa prova existisse, isso nada provaria – contra a originalidade da criação. Mas, se alguém fala de repressão, pode-se, com igual direito e com as mesmas possibilidades de bem-sucedida interpretação, alterar a pergunta: Como se reprime a libido sexual, pode-se reprimir a força da espiritualidade existencial? E como decidir quem está certo no que respeita aos efeitos da repressão e às forças suscetíveis de serem reprimidas?

Psicanalista: Os efeitos da psicoterapia analítica são probantes; quando as repressões cessam, o paciente cura-se.

Eu: Nesse caso, o processo usado na neurose poderia ser aplicado às criações espirituais. O resultado de elas se verem esclarecidas é deixarem de materializar-se.

Mas, em que consiste o êxito da psicanálise? No caso de sintomas físicos específicos, já se demonstrou que o êxito poderia ser alcançado por outros métodos. No caso de problemas psíquicos, os êxitos são de caráter fundamentalmente diverso: qual o critério de avaliação?

Psicanalista: A prova decisiva é a manifestação do doente que constata, em si mesmo, a verdade da doutrina. Discutimos inutilmente. É preciso que o senhor se deixe psicanalisar. Terá, então, as experiências que são requisitos necessários para esta discussão.

Eu: Submeti-me à psicanálise durante algum tempo, quando era mais jovem e desejava informar-me acerca das possibilidades da observação psicológica. Passado certo período, meu amigo psicanalista me disse: sua teoria corresponde a um preconceito tão poderoso que não consigo fazer com que seu inconsciente fale.

De qualquer modo, você assinalou o ponto essencial: concordância da pessoa que se deixa psicanalisar. E que prova essa concordância? Ela nem sempre se manifesta; só é possível se o analisando chega a depositar fé na teoria. E como decidir entre a verdade do psicanalista e a verdade da crença filosófica?

Psicanalista: Muito simples. Repito, deixe-se analisar. E descobrirá a verdade por si mesmo.

Eu: Sim, é exatamente isso, quem tem razão é quem pode colocar o outro na posição de ser analisado, a fim de que este outro admita como evidente o que, de fato, lhe é ditado pelo psicanalista, que já foi anteriormente doutrinado. Torna-se lógico os psicanalistas modernos exigirem a análise preparatória para a profissão, pois reconhecem que nem todas as pessoas preenchem as qualificações: quem não se despe do espírito crítico é considerado inabilitado e deve permanecer à parte.

Psicanalista: Apesar de suas palavras, o procedimento adotado me parece inteiramente razoável. Submetemo-nos a essas experiências de livre vontade e delas retiramos efeitos salutares. Por que falar de doutrinação – palavra que evoca o totalitarismo? O senhor repudia como violência e compulsão o que é livre e livre permanece.

Eu: Por certo que não há violências e ameaças. Quando falo de doutrinação, quero simplesmente assinalar que o procedimento consiste de exercícios, repetições, transmissão de impressões e orientações que o tornam análogo às práticas monásticas e (se o pensamento crítico se cala e a fé deseja crer) leva a uma concepção do mundo e do próprio sujeito que se torna de impossível retificação.

Que isso é doutrinação e não procedimento científico prova-se pelo exemplo dos pacientes que se afastam da psicanálise com desgosto e revolta.

Psicanalista: O senhor se afasta continuamente do plano da polêmica científica. O que o senhor faz não é crítica, mas propaganda contra uma causa que o desagrada. Seu desejo é desacreditá-la. É uma obsessão sua.

4. Essas discussões simplificadas estão, naturalmente, longe de proporcionar ideia da totalidade dos temas da psicanálise e do marxismo; além disso, não esclarecem, de maneira alguma, a respeito do que esses sistemas conseguiram realizar em setores particulares (o marxismo, principalmente), a despeito de seus dogmas de base. As discussões são transcritas apenas para patentear a inanidade de um debate cujo fundo é transparente: quando se trata de exatidão cientificamente comprovável, os interlocutores se orientam para algo que todos os seres racionais podem conhecer em comum, orientam-se para fatos objetivos. Mas quando se põe em questão a verdade, que sustenta a vida, molda-a e lhe dá conteúdo, não apenas a razão, mas também a natureza dos interlocutores se põe como fundamento de verdade.

5. Marx não é a sociologia. Freud não é a psicologia. Mas a extraordinária influência exercida por estes dois homens mostra que diante da psicologia e da sociologia abre-se dupla possibilidade: obter genuíno conhecimento do homem ou fazer-se filosofia pervertida com pretensões proféticas. Por que isso?

Primeiro: Nem a psicologia nem a sociologia dispõe de fundamento científico próprio. Quem se dedique a pesquisas em tal campo deve possuir treinamento científico especializado, seja em filologia, história, direito, fisiologia, medicina, teologia ou qualquer outro setor. Sem tal base, a pessoa se perderá em parolagem vazia.

Segundo: A psicologia e a sociologia são ciências universais: nada existe que não apresente ângulo de estudo em que elas tenham interesse. Mas a significação se perverte, se as transformamos de ciências universais, em ciências totais ou, dito de outra maneira, se, em vez de examinarmos cada um dos fenômenos humanos à luz de pontos de vista metodológicos aplicáveis ao caso particular, pretendermos tomar como objeto daquelas ciências a totalidade do humano.

Terceiro: A psicologia, que conhece objetivamente, parece ocupar-se do mesmo de que se ocupa a filosofia, que esclarece indagando. Há, porém, uma inversão a notar. Tomemos, para tanto, o exemplo da psicanálise. Enquanto a filosofia busca tornar a existência transparente a ela mesma, os métodos da psicanálise conduzem tão somente a novo e mais profundo obscurecimento existencial. Enquanto a filosofia elucida a situação concreta, a psicanálise se desvia para o insensato existencial, que é a interpretação dos sonhos. Enquanto a filosofia orienta-se no sentido de permitir que o destino se revele nas situações-limite, a psicanálise nos confunde com seu pseudoconhecimento de um céu e de um inferno que se encontrariam em nosso inconsciente. Enfim a inata dignidade do homem se perverte, transformada em aceitação de um Eu odioso e torpe.

Quarto: As hipóteses da psicanálise se metamorfoseiam em conhecimento do ser, em uma ontologia, em "psiquização" do mundo.

Quinto: A séria gravidade do existencial cede passo à superficialidade da atitude psicanalítica.

Assim, psicanálise e marxismo não passam de caricaturas da filosofia.

Cada um desses sistemas sustenta que o homem se perdeu porque se alienou (no sentido etimológico) e apresenta-se como forma de salvação – o marxismo na esfera política, a psicanálise na esfera psicoterapêutica. E os dois sistemas podem combinar-se. Em 1933, um eminente psicanalista da época me disse: a ação de Hitler é o maior ato psicoterapêutico da História.

Em 1931, nas páginas de meu livro *Die geistige Situation der Zeit* ("A Situação Espiritual de Nosso Tempo") deixei dito que o marxismo, a psicanálise e o racismo (portanto, em termos mais gerais, a sociologia, a psicologia e a antropologia biológica) são – desde o momento em que perdem o caráter científico para se tornarem concepções do mundo – os três grandes adversários espirituais do homem de nossa época. Contra eles só podemos defender-nos recorrendo à filosofia, atividade a que todo homem se entrega, mas que se esclarece pelo trabalho dos filósofos, que a explicitam e sistematizam.

6. Quando a psicologia e a sociologia degeneram em ciências totalitárias, manifestam-se estranhos fenômenos entre seus adeptos. O desejo de poder domina o desejo de verdade. O conhecimento que se tem do homem passa a ser mais importante do que o próprio homem. Adota-se, por vezes, atitude de singular superioridade, como a de quem possuísse conhecimento absoluto, capaz de tudo penetrar e de tudo esclarecer. Dessas alturas, olha-se para as misérias humanas. Toma-se a posição de Ser Superior, que domina espiritualmente o mundo – o que se torna de um ridículo todo particular, quando se é pessoalmente um pigmeu.

Há dezenas de anos, no decurso de uma viagem, fiz visita a um ilustre psiquiatra, que não era um pigmeu e que havia conhecido quando estudante. Como eu me escusasse por lhe tomar o precioso tempo das consultas, respondeu-me: "De modo algum. Tenho satisfação em poder interromper, por alguns instantes, meu trabalho de domador". Gracejo, sem dúvida, mas expressivo. Com efeito, em psicanálise sempre está sendo travada uma batalha, embora sob a forma de livre comunicação.

Total conhecimento do homem, diz o estudioso da psicanálise, abre margem para exercício de poder discricionário sobre o homem. E proclama o direito de governar a existência humana em função de suas descobertas. Como é possível, em determinada medida e a partir de descobertas *de fato*, enfrentar, modificar e afeiçoar *fatos* que influem sobre a existência humana (desde as técnicas de trabalho até as instituições, passando pela higiene física e psíquica), imagina-se que o próprio homem possa ser manipulado, domado e modificado graças ao conhecimento que dele se tem.

Tão logo ultrapassam as fronteiras científicas em que deveriam conter-se, psicologia e sociologia revelam tendência de degradar o homem. Apresentam a fé e a verdade como simples fenômenos psicológicos. E como fé e verdade são inacessíveis enquanto objetos empíricos de investigação, a psicologia e a sociologia os consideram destruídos. Tudo o que resta é a fé falsa e difusa característica daquelas ciências.

7. Essa maneira de "pensar" é perigosa para o homem. Opera com base em uma imagem que se faz dele e que o faz servo de uma concepção totalitária da espécie. Essa concepção o leva a desaparecer em meio aos clichês de uma superstição científica. Se a adotarmos, seremos arrancados de nós mesmos.

Limitarem-se a psicologia e a sociologia a seus domínios científicos estritos é algo dependente da filosofia e que, por outro lado, deixa a esta livre caminho.

Reconhecemo-nos dependentes de nosso *eu* psicofísico, da situação política e social do mundo, das potencialidades de nossa consciência em geral e de suas categorias – e tudo isso se transforma em objeto de nossas ciências, da psicologia, da sociologia, da lógica. Mas, em meio a essas dependências existenciais e conceituais, buscamos ponto de independência e nos entregamos à filosofia. E, então, contemplamos a nós mesmos e ao mundo de que somos cativos como se os víssemos de fora.

Tal é a posição em que somos nós mesmos. Nenhuma ciência pode atingi-la, e estão especialmente privadas dessa possibilidade a psicologia e a sociologia. Dessa posição e só dela decorrem para aquelas ciências a verdadeira razão de ser e a limitada significação.

IX

A OPINIÃO PÚBLICA

1. Em 1962, quando os editores do periódico germânico *Der Spiegel* foram levianamente acusados de traição, e quando a onda de prisões relembrou a época do terrorismo policial, colocou-se de maneira concreta ante o público alemão o problema da liberdade de imprensa.

Quando o *Der Spiegel* revelou que a repartição administrativa encarregada de velar pela observância da Constituição violava essa mesma Constituição interceptando conversações telefônicas, e quando o ministro responsável respondeu, colericamente, que não podia exigir que seus funcionários andassem com a Constituição embaixo do braço, puderam os alemães dar-se conta do que significava a intangibilidade da Constituição.

Quando o funcionário que revelara ao jornal o irregular procedimento administrativo foi acusado de alta traição, a opinião pública pôde perceber que a obrigação de silêncio, imposta incondicionalmente aos que prestam serviço público, poderia ser contrária ao interesse geral.

Quando, em seus entendimentos com o patronato, os sindicatos de trabalhadores se queixam de não ter informação acerca da misteriosa maneira de o dinheiro entrar e sair das caixas, cabe imaginar se, não sendo os interlocutores inteiramente sinceros, é possível uma discussão razoável.

2. Cada um desses exemplos ilustra o conflito existente entre o poder (que tende ao segredo) e a verdade (que deseja fazer-se pública).

Esse conflito se instala em todos nós e é de solução impossível. Farei, inicialmente, referência a nossa vida pessoal. Não somos os anjos de que a imaginação nos fala. Segundo o entendimento tradicional, os anjos são de todo transparentes uns aos outros, vivem num estado intemporal de não violência e de emoção satisfeita, à luz da verdade pura. Mas, nós, seres humanos, também não somos feras. Podemos viver juntos, num conflito de amor do qual a verdade brote para nosso bem.

No círculo estreito de nós mesmos, o adversário da verdade é o desejo de poder. O desejo da verdade nos impele a revelar, o desejo de poder nos impele a ocultar. Se abolíssemos o desejo de poder, deixaria de existir a tendência de esconder.

Se somos homens, é inerente a nós não somente esse conflito, mas também a exigência de que nos tornemos seres humanos autênticos, através da luta contra o adversário interno que age contra nós.

O desejo de poder, recorrendo a disfarces, apresenta-se sob as formas da verdade e, fazendo-lhe essa mesura, utiliza-a como instrumento para alcançar posição de domínio. A mendacidade é seu elemento nativo, onde reina supremo.

O desejo de poder mais facilmente assume os contornos da verdade quando, por trás, se põe o desejo de violência. Violência por superioridade intelectual, por contestação orgulhosa, por ameaças, por enganos. Sem embargo, o desejo de poder, enquanto tal, pode ser verídico e a própria verdade é um poder.

Não queremos que a ocultação e a mendacidade permaneçam para sempre.

Por que desejamos a verdade e, portanto, abertura sincera? Por que não mais desejamos o mistério gerado pelo silêncio?

Primeiro: Porque a veracidade confunde-se com a dignidade humana. A falta de sinceridade nos envergonha a nossos próprios olhos.

Segundo: Porque a verdade só pode ser atingida em conjunto e, assim, calando-nos, somos infiéis a nós mesmos. É mau que um homem não conte com uma pessoa diante da qual possa ser absolutamente franco, inteiramente sem reservas, completamente honesto.

À semelhança do que se passa na vida pessoal, também na comunidade o curso das coisas se torna falso quando o homem cala o que é importante para todos. A mendacidade pública é reflexo da mendacidade pessoal. Vivemos na obscuridade. Deveríamos tornar-nos transparentes a nós mesmos e transparentes a todos os outros, em nosso destino e ação comuns.

3. Isso nos leva ao campo da política.

Vendo-nos à mercê de fatos políticos e econômicos sobre os quais julgamos não ter a menor influência, sentimo-nos tentados a refugiar-nos em uma existência apolítica. Contudo, aqueles fatos são manipulados por homens. Os homens podem refletir, conhecer, alterar procedimentos, podem pensar e agir em conjunto. Consequentemente, aquela fuga nos torna cúmplices de crimes políticos.

Nossa convicção – com raízes na existência humana e chegada a plena consciência – é a seguinte: só à luz da verdade e da divulgação honesta pode o desenvolvimento dos negócios políticos e econômicos levar a algo de bom. A verdade requer publicidade máxima.

Até agora, a insinceridade, a desonestidade e a mentira têm sido meios de utilização normal em política. A desonestidade, entretanto, só pode ser vantajosa por breves instantes e a expensas do futuro. A longo alcance, ela se faz inconveniente para a própria vida. A verdade é mais viável que a mentira.

Estados construídos sobre a mentira decaem por adotarem procedimentos que se alimentam da tradição de mentir.

Uma das falhas da vontade, que se engana a si mesma, é a de não querer admitir que a violência e a mentira são realidades dominantes. Antes que nos firmemos e possamos opor barreira a essas realidades, é preciso adquirir consciência de que, até o momento, não houve como a elas escapar. Essa atitude pressupõe que não cedamos quando lentamente, silenciosamente, cotidianamente e, depois, nos momentos decisivos, de forma explosiva, a violência e a mentira queiram abrir caminho. Nossa palavra de ordem deve ser: ilimitada divulgação da verdade.

4. Num povo livre, a opinião pública é o fórum da política. O grau de informação de que a opinião pública disponha é o critério de liberdade desse povo. Comecemos por esboçar o ideal estado de coisas. O que determina o destino de todos, deve, por exigência da liberdade política, passar-se em público. A reflexão deve ser pública e preparada em público a decisão. A concordância brotará dessa base e não de confiança cega. Pelo pensamento e pela informação, um povo livre participa dos atos praticados pelos governantes com vistas à criação de instituições e elaboração de leis. Numa nação livre, o êxito do homem político depende do povo. Surge a partir dos pequenos grupos profissionais, dos grupos de vizinhança, de grupos de livre debate político. Junto a esses grupos deve o político provar que é digno de confiança, que será orientador competente e capaz. Os políticos iniciam sua ascensão a partir desses grupos e não pelo recurso a uma burocracia partidária que elege, *a priori,* políticos profissionais. Ele é aceito porque a consciência política do povo se impõe. Ele atua, fala e escreve aos olhos do público. Os eleitores sabem a favor de quem e de que eles se manifestam pelo voto. Um povo livre sabe que é responsável pelos atos de seu

governo. Pertencer a uma nação livre torna livre o homem que, nesse caso, pode transformar-se em cidadão.

As linhas acima esboçam um ideal. Destinam-se a servir como critério de apreciação e estímulo de ação. A realidade é diferente.

A vida pública de uma nação não é simples espelho do povo. Deve ser o fórum de sua autoeducação política. Um povo que pretenda ser livre não pode jamais permanecer complacente face a erros e falhas. Impõe-se a recíproca autoeducação de governantes e governados. Em meio a todas as mudanças, mantém-se uma constante: a obrigação de criar e conservar uma vida penetrada de liberdade política.

A autoeducação política se faz pelo exercício constante do pensamento, ao contato com as realidades de todos os dias e com os grandes momentos de decisão. Somente diante de situações concretas pode a experiência ser submetida a prova e verificada a capacidade de julgamento.

A opinião pública é, antes de tudo, o fórum de informação e, em seguida, o da confrontação intelectual. Não é, de maneira alguma, opinião que preexistisse no povo, que se devesse constatar e considerar normativa.

A opinião pública revela interesses particulares, que entram em fricção com outros interesses. Por isso mesmo, sua pretensão de corresponder ao interesse público só se justifica no quadro do conjunto de todos os interesses. Nenhum interesse particular pode aspirar a ascender ao plano do *bonum commune*, do interesse público.

Só um interesse público é absoluto: que a batalha pela verdade e pela sinceridade possa continuar a fazer-se com normais possibilidades de êxito; a batalha pela ordem de prioridade dos interesses e pelo bem comum, que transcende a todos os interesses: a liberdade, *res-publica*.

5. O que hoje entendemos por opinião pública tem sobretudo relação com o mundo dos oradores e escritores, dos jornais e livros, de rádio e televisão. A opinião pública não é o fórum da proclamação de uma verdade única, mas o campo de batalha pela verdade.

Os escritores são uma terceira força, que se põe entre governo e povo, entre a atividade dos políticos e o silêncio geral da população. Criam os escritores a linguagem que une toda a população. Essa terceira força, entretanto, só é significativa se for independente.

O poder dos escritores está na força de persuasão. Embora sejam frequentemente desconsiderados, em razão de sua impotência, são os escritores que dão vida às formas de representação e aos modos de pensamento. Tudo quanto fazem quiçá não passe de pregação no deserto, mas através dessa atividade se revelará talvez o que põe o mundo em movimento.

Quanto aos filósofos, Platão acreditou que, senhores de conhecimento perfeito, deveriam ser chamados a governar. De onde seu dito famoso: os Estados só serão bem dirigidos quando os filósofos se tornarem reis ou os reis se tornarem filósofos.

Isso nos parece exagerada superestimação das potencialidades do indivíduo, em especial dos indivíduos que se consagram ao pensamento. Em consonância com nosso desejo de liberdade, Kant deu expressão diferente à verdade oculta na frase de Platão. Os governantes, disse ele, devem permitir que os filósofos se manifestem livremente, devem dar-lhe ouvidos e seguir-lhes os conselhos. Para isso, cabe aos filósofos darem publicidade a suas ideias e debates. Mas Kant não espera que os reis se dediquem à filosofia ou que os filósofos se façam reis. Ainda que isso fosse possível, não seria desejável, "pois o poder corrompe inevitavelmente o livre juízo da razão". E acrescenta Kant: "É preciso, porém, que os reis ou os povos soberanos (aqueles que se governam a si mesmos, assegurando clima de igualdade), longe de levarem a classe dos filósofos a extinguir-se ou calar-se, deem-lhe a palavra em público, pois o conselho dos filósofos é indispensável à conduta dos negócios do Estado. "Os filósofos não devem ser compelidos a calar-se." Kant manifesta opinião favorável à classe dos filósofos, considerando-os incapazes de constituírem facções, clubes, grupos fechados, e os coloca acima de qualquer suspeita em matéria de atividades de propaganda.

As ideias de Kant com respeito aos filósofos – conselheiros empenhados em debates públicos, assim como a confiança que a natureza do filósofo lhe desperta parecem corresponder como que à Magna Carta do escritor. Embora os filósofos sejam uma classe, não constituem uma instituição. A liberdade de que gozem é a essência de um povo livre.

Os governos de povos não livres tomam precauções contra essa terceira força, contra o poder do espírito. Quando lhes é possível, utilizam-se dos escritores para atingir fins próprios. Fornecem à imprensa informações oficiais, sempre limitadas, sinuosas, veladas; secretamente fornecem esclarecimentos mas só a pessoas que estejam a seu serviço e usem com tato as informações, estimulando a confiança do povo nos governantes e dando apoio ao que os governantes reclamam do povo. Esses governos se escandalizam quando os escritores manifestam a um público amplo o que os governantes consideram opiniões pessoais. Louvam o espírito, mas só o espírito servil. Louvam a imprensa e a liberdade de imprensa, mas pretendem referir-se a uma imprensa dócil. No fundo, não têm plena consciência do que fazem, porque lhes falta compreensão do valor do espírito.

6. Assim, a ideia de que a opinião pública seja fonte da verdade pública só parcialmente é verdadeira. Sem embargo e como já afirmei, essa ideia fornece critérios segundo os quais se

pode apreciar a opinião pública, suas limitações e perversões. A boa política nos aconselha a, conscientemente e como questão de princípio, favorecer a concretização da mesma ideia no governo, na administração, na burocracia.

Isso é o que dá consciência de si a povos soberanos, onde se mantém viva longa tradição de liberdade. Nos demais Estados, quase todos os políticos (mas não todos) consideram normal um estado de coisas contrário ao esboçado e, consequentemente, o favorecem. A lembrança das liberdades antigas estimula os melhores, que constituem as forças políticas autênticas.

Um povo livre é sempre governado por sua aristocracia espiritual – minoria recrutada de todos os níveis da população. Nela o povo se reconhece e através dela concretiza sua própria democracia.

Duas realidades limitam o alcance da opinião pública: o segredo e a censura.

7. Governos, partidos, funcionários, empresários, editores, burocratas, todos tendem a favorecer o segredo, que é dado como tendo valor em si. Impele-se tal procedimento até as raias do ridículo. É considerado ponto de honra profissional. Sua violação expõe a castigo.

Em certas situações, o segredo é necessário. Desvalorizações de moeda, por exemplo, exigem segredo até o último instante. Há o segredo oficial, que deve ser mantido por tempo limitado para permitir trabalhos da administração ou êxito de negociações. Em casos tais, algo permanece provisoriamente secreto, sem que resulte lesão a ninguém.

Tem outro sentido o segredo que se guarda face ao inimigo. Está relacionado com o emprego da violência. Na hipótese o máximo de segredo eleva-se a princípio de conduta, o mesmo se dando com o embuste e a mentira. A comunicação de segredos a países estrangeiros é espionagem ou é traição.

O tratamento que o segredo recebe no interior de fronteiras nacionais é decisivo para avaliação do caráter do Estado. Entre cidadãos que constroem, aperfeiçoam e velam por sua liberdade comum, não há por que existir segredo. Quando o segredo existe, algo não corre bem. Segredo momentâneo pode surgir como necessidade, mas só é tolerado a contragosto. Nele se vê restrição à liberdade e procura-se reduzi-lo ao mínimo. O desejo de divulgação, nascido da liberdade, torna mais difícil o segredo necessário, enquanto a tendência ao segredo brotado do desejo de poder quer pôr-se como obstáculo à notoriedade e transformar cidadãos em súditos.

Em verdade, as forças que se inclinam por ocultar, velar, mentir são tão poderosas que o Estado se vê compelido a dar-lhes combate incessante, para ver preservada a liberdade. Seria desejável, por exemplo, legislação que autorizasse e obrigasse, moralmente, os funcionários a darem publicidade a fatos legais ou anticonstitucionais, em vez de simplesmente comunicá-los a seus superiores hierárquicos, frequentemente interessados em evitar que esses fatos sejam conhecidos.

O desejo de reduzir tanto quanto possível as dimensões do segredo é corolário da exigência incondicional de liberdade. Com efeito, em política, a sinceridade é condição de liberdade.

8. Um Estado que se acomoda aos termos por nós referidos não admite a censura. Só tem sentido a punição quando o que foi publicado caracteriza violação da lei penal (difamação etc.); contrariamente ao que hoje em dia se faz, a difamação deveria ser punida com multas tão severas que implicassem a ruína do difamador.

Há, porém, uma objeção contra a liberdade de imprensa; ela não esclarece, confunde. Dá rédeas livres para incitação contra o governo e contra a ordem estabelecida. Engendra o descontentamento e a desconfiança. Permite ataque à fé e à autoridade. Abre canais não só para a verdade, mas também para a mais absoluta falta de autoridade. Interesses conjugados, conspirando para manter a ignorância, provocam um estado de engano geral. Daí decorre, segundo se entende, a necessidade de censura. Impõe-se preservar o povo de influências perniciosas e com frequência negar-lhe, em seu próprio interesse, a verdade pura.

Resposta a esse argumento é a de que ele pressupõe um povo imaturo, enquanto a liberdade de imprensa supõe um povo amadurecido. Em todas as classes sociais, as pessoas – sejam agricultores ou operários, militares ou diretores de empresas, motoristas ou professores – têm maior ou menor maturidade política. Todos somos homens e todos nos encontramos a caminho da maioridade. São homens os que fazem a censura do que outros homens têm o direito de dizer publicamente. A quem incumbirá apontar censores que possuam discernimento de espírito e a visão da verdade que só um deus possui? A censura em nada resulta. Pode-se abusar da censura como se abusa da liberdade. E qual o abuso preferível? Por qual deles inclinar-nos?

A censura leva a distorções e à supressão do verdadeiro; a liberdade engendra apenas distorções. A supressão tem caráter absoluto; a distorção pode ser corrigida por força da própria liberdade. Cabe depositar a melhor esperança no desencontro de opiniões, pois desse desencontro emerge a verdade, uma vez que o homem possui inato senso da verdade, e, assim, a opinião pública, criticando-se, corrige-se a si mesma. Por esta via não se garante o êxito, mas respira-se esperança; qualquer outro caminho conduz à ruína da verdade. Tanto a censura como a liberdade de imprensa colocam a verdade em perigo. O problema está em saber qual o caminho mais digno e próprio do homem. Esse caminho é o da liberdade.

9. Os riscos inerentes à vida pública só espontaneamente são assumidos. Permitam-me, pois, concluir dizendo uma palavra a esse propósito. Cada qual deve decidir por si mesmo se deseja ou não expor-se à opinião pública.

O homem que alcançou conhecimento não deseja guardá-lo para si. O homem criador deseja que sua obra seja vista. O homem que atua politicamente deseja ser acompanhado. Tal é a grande ambição, que se justifica desde que não repouse sobre ilusões quanto ao que se é capaz de fazer (caso em que se degradaria em vaidade). E permanece o fato de que a vida pública é risco.

Quando os homens se queixam de se verem entregues ao público, de tal modo que esse público lhes perscruta não a ação objetiva, mas a própria pessoa, importa indagar até que ponto se justifica a proteção da "vida privada" de uma personalidade pública. É possível ser um homem público e, ao mesmo tempo, recusar-se ao público?

Mais fácil é que os detentores do poder, para bem e para mal, travem suas batalhas para além do alcance dos povos. É audácia de parte dos governantes exporem-se à opinião do país. Como é com base nessa opinião que devem tomar decisões – via de educação política de si próprios e do povo – importa que os governantes vivam, politicamente, em casas de vidro. Só enfrentando esse risco pode um estadista atingir a grandeza.

Risco há também para qualquer pessoa no lançar-se à vida pública através da palavra escrita, da palavra falada e da ação. Deve, em contrapartida, admitir que sua pessoa seja examinada e interrogada. Quem tem vida pública está à mercê do público. O homem que deu esse passo não é mais o mesmo.

Como todas as causas (exceto no caso das ciências naturais e de umas poucas outras ciências) envolvem a essência da personalidade, os olhos se fixam tanto na personalidade como nas causas. A personalidade recebe plena luz, é examinada até seus mais íntimos pormenores e julgada, variando o julgamento em função do papel público desempenhado – político, escritor, cientista, poeta, pensador.

Por esse motivo, perde atrativo a ideia de ser um homem público. Todos – políticos, escritores, poetas, filósofos – desejariam que sua pessoa permanecesse inatingida. Mas a nenhum cabe o direito de exigir que o público o acompanhe enquanto indivíduo e deixe de notá-lo enquanto pessoa. O homem público adentrou arena onde se trava combate pela verdade, onde motivos e pessoa veem-se expostos a permanente distorção, incompreensão, lisonja e calúnia à luz de uma opinião pública inclemente.

O homem que ousa correr esses riscos vem a conhecer no âmbito público mais amplo as mesmas vicissitudes que enfrenta na vida privada. Deve acautelar-se para não se identificar à imagem que dele próprio a opinião pública crie. Deve tolerar tal imagem, sem a ela afeiçoar-se involuntariamente, esquecendo a própria identidade. É essencial que permaneça livre, fiel a seu verdadeiro *eu*, firmemente apoiado em suas potencialidades.

X

OS ENIGMAS

1. Um dos mais perturbadores enigmas da religião bíblica é o que se refere à presença material de Jeová transmitindo o Decálogo a Moisés e ao povo de Israel:

E todo o povo viu os trovões e os relâmpagos e o som da trompa e o monte fumegando; e o povo, vendo isso, retirou-se e pôs-se longe.

E disseram a Moisés: fala tu conosco e ouviremos; e não fale Deus conosco, para que não morramos.

E disse Moisés ao povo: não temais, pois Deus veio para provar-vos e para que seu temor esteja diante de vós, para que não pequeis.

E o povo estava em pé, de longe; Moisés, porém, se chegou à escuridão onde Deus estava (Êx. XX, 18-21).

O povo outorgou um mandato a Moisés. Submeteu-se à sua autoridade, à revelação dos Dez Mandamentos que a Moisés havia sido feita. E tal submissão não fez o povo escravo.

Escravos os hebreus haviam sido no Egito. Jeová os tinha libertado e feito sair da casa da servidão. E agora pedia a esses homens livres aquilo que lhes traria a liberdade interior:

Não terás outros deuses diante de mim.

Não farás para ti imagens de escultura... não te prosternarás diante delas.

Não tomarás o nome do Senhor teu Deus em vão.

Honrarás pai e mãe.

Não matarás.

Não cometerás adultério.

Não furtarás.

Não darás falso testemunho contra o teu próximo.

Que encontramos no Decálogo?

O Deus único: Ele é o espelho da força que empresta coesão a nossa vida. Para o homem natural – nós todos – o politeísmo é uma segunda natureza. Os deuses entram em conflito. É impossível conciliar as exigências que nos fazem. O homem é o ser que se contradiz. Servindo a alguns deuses, ofende outros. Então, com surpreendente energia, afirma-se o poder do Único. Ele repele o simplesmente natural. E desperta no homem uma vontade de outra origem. *Não farás para ti imagens de escultura*: a Transcendência deixa de ser Transcendência quando aprisionada em imagens. Só lhe compreendemos a linguagem quando assume forma de enigma. Ela própria se coloca para além de todos os enigmas. Tal a verdade da reflexão filosófica.

Não tomarás o nome do Senhor teu Deus em vão: o homem circunspecto não graceja com o nome de Deus. Não faz apelo a Deus quando deseja algo para si, neste mundo. Tomar o nome de Deus em vão equivale a invocar o favor de Deus contra os outros.

Honrar pai e mãe, não matar, não cometer adultério, não dar falso testemunho: tais são as simples, grandes e indispensáveis condições de uma vida comum vivida em confiança.

Há qualquer coisa de estranho nos acontecimentos do Sinai: o mandamento proíbe as imagens esculpidas e, portanto, nega a materialização de Deus. Quando, à sombra da nuvem, Moisés atravessa a montanha, os fenômenos vulcânicos constituem uma experiência concreta, à semelhança da proclamação dos Dez Mandamentos, que é feita em seguida – mas Deus não se materializa. Não assume forma. O povo não o vê, nem pode ouvi-lo.

Os Dez Mandamentos foram encarados com leviandade, sob o pretexto de serem óbvios. Não obstante é tão difícil observá-los que, por certo, homem algum o consegue de maneira perfeita. Fossem eles obedecidos, e não viveríamos num estado de engano (tanto em negócios públicos quanto em negócios privados) que encaramos como inevitável, mas teríamos uma comunidade autêntica e digna de confiança. "A moral é evidente", diz um adágio mentiroso. Evidente, muito ao contrário, é que reduzimos a moral ao silêncio.

Maravilha de simplicidade, clareza e profundidade para todos os tempos, o conteúdo dos Dez Mandamentos é, de uma só vez, revelado e capaz de convencer o homem enquanto homem. Falam à conveniência, através da razão. Levantam-se por sobre a paixão, a violência, o instinto, o capricho. Dando-lhes obediência, o homem concretiza sua liberdade existencial.

Formulando seu imperativo categórico, Kant bem compreendeu a exigência de que a consciência se faz objeto: age como se, com tua ação, estivesses criando um mundo onde o teu princípio de agir pudesse ser válido para todos e para sempre.

A consciência é a dimensão onde cessa a soberania do sujeito, não por submissão a uma ordem exterior e incompreendida, mas por livre obediência ao próprio entendimento.

Esse poder que compele sem exercitar violência e que, obedecido, parece brotar de mim mesmo é tão discreto e desmaiado que aparentemente se desvanece na realidade.

Não obstante, o que se encerra em minha consciência é mais do que eu mesmo. E esse "mais" fala através do enigma que, certa vez, tão profundamente marcou o homem no acontecimento do Sinai. Quem poderia esquecer o Sinai, após a leitura da narração bíblica? Perceber a importância do homem ancorada no fundamento das coisas, ancorada no próprio Deus como enigma, revigora a consciência. E a mensagem permanece mesmo após desaparecida a presença.

2. O Sinai é um exemplo de enigma. A ciência das religiões e dos mitos reúne os enigmas. Classifica-os em gêneros. Mostra-nos a transformação dos deuses. Jeová, o Deus da Guerra do Cântico de Débora, não é o Deus diante do qual Jó formula queixas, nem é o Deus a quem Jesus se dirige.

Sobre o pano de fundo das comparações universais projetam-se as figuras do passado, sempre únicas: a par das que aparecem na Bíblia, há o panteão grego e as mitologias hindu, chinesa e escandinava.

À semelhança das línguas, os enigmas nos chegam por tradição. Não os inventamos; apropriamo-nos deles.

Eis alguns outros exemplos:

a) Desde o período sumeriano (quarto milênio a. C.) têm sido elaboradas cosmologias. A ordem da vida humana é reflexo da ordem das estrelas no ciclo imutável de seu eterno movimento. As invioláveis leis celestes são válidas para a existência humana, sempre em colapso e sempre em reconstituição. Os eventos humanos são eventos cósmicos.

Os enigmas prolongam-se pela História. Kant pôde ainda exclamar: "duas coisas enchem o espírito de admiração e de respeito – o céu estrelado acima de mim e a lei moral em meu interior... associo-as diretamente à consciência de meu próprio existir".

b) É insustentável a ideia de um mundo divino, uno e integralmente racional. O mundo se apoia no caos. Do caos brotam o mundo e os deuses, que o limitam, mas não ultrapassam. O caos lhes deu vida, o caos os devorará.

O enigma de um Deus injusto e impiedoso, que faz o sol brilhar indiferentemente para os bons e para os maus, torna-se, na Gnose antiga, o enigma de um criador sem mercê. O mundo em que vivemos é despido de amor, caótico, irracional, de brilho enganador. Nós, com nossas almas capazes de amor e de razão, somos centelhas de luz lançadas ao mundo por nefasto destino. Aspiramos a deixar este mundo para nos reunirmos a um Deus longínquo, ao Deus do amor que, entretanto, a ninguém pode socorrer neste mundo.

c) O panteão grego é único na História, infinito e maravilhosamente claro. Nele, tudo quanto existe, tudo quanto é permitido ou ordenado, tudo que o homem pode ser se oferece a nós através de divinos enigmas.

Zeus: o Único, rei dos deuses, ao qual todos os deuses devem submeter-se, mesmo quando se rebelam, mas que está, por sua vez, submetido à Moira, ao Destino impessoal a que não se clama, nem se ora. Em seguida, *Apolo*, o deus distante de tudo quanto é vulgar, impuro, mórbido, falso. Não se trata de uma força da natureza. Isento de paixões, Apolo vive na pureza e na dignidade. Deus vigoroso, jovem, belo, intangível, ele brilha, destrói, repele e protege. Exige medidas e formas. Seus mandamentos dizem: Moderação, conhece-te a ti mesmo, tem consciência de que és um homem. Sócrates, o filósofo, deu-lhe ouvidos. Ele está longe de ser o deus único, senhor da existência. Ao contrário, permanece afastado da vida perturbada, sofrida e confusa. Age sobre esta vida, mas com ela não se compromete. A seguir, *Afrodite*, deusa nobre, que enobrece o amor sexual. E todos os outros deuses, Atenas, Hera, Ártemis, os deuses olímpicos, os deuses da natureza, as náiades, as ninfas, as dríades. Inesgotável coleção de nomes e figuras! Todas as possibilidades e todos os fados do homem, todas as depravações e todas as singularidades humanas – tudo era divinizado. Aceitando tudo, limitava-se tudo, e tudo se punha em questão.

Somente durante breve período foram esses deuses realidade. Os gregos atingiram seu apogeu enquanto homens:

igualavam-se aos deuses. Enfrentavam-nos abertamente e faziam-nos manifestarem-se não através de teólogos e sacerdotes, mas através de poetas e filósofos. Viam-se no espelho dos deuses. Pouco depois, tudo desceu a uma lembrança despida de realidade, salvo para os humanistas que visam ao prazer estético.

Não podemos transformar-nos em gregos. Mas ficaremos empobrecidos se ignorarmos os deuses gregos e não os tivermos na conta de marcos significativos.

3. Talvez que hoje em dia os enigmas estejam entre as coisas que mais urgentemente dizem respeito à origem e destino de nossa liberdade.

a) Consciente de sua liberdade, o homem sente ser ele próprio. Nos grandes momentos, faz opções. Não obstante, pode falhar na tarefa de fazer-se ele mesmo e, então, não sabe o que verdadeiramente quer, sucumbe ao arbitrário e à perplexidade. Perdido nessa ausência de si mesmo, torna-se consciente de que pode recuperar-se pela via da liberdade.

É, contudo, abstrata a transcendência pela qual ele se sabe oferecido a si mesmo. Quando o homem, no gozo de sua liberdade, experimenta a Transcendência, necessita dos enigmas para elucidá-la.

b) Vimos quais eram, para o mundo, as consequências das manifestações da liberdade. Entusiasmados pela ideia de liberdade, verificamos que essas consequências nos colocam no caminho da catástrofe.

Se parece impossível tomar a via da liberdade, resta-nos a certeza de que essa trilha, embora aparentemente impraticável, é-nos imposta por dever e corresponde a nossa humanidade. Tal certeza a respeito de nosso destino estimula-nos a enfrentar a tarefa. O fato de não nos sabermos capazes de realizá-la associa à tarefa uma incerteza que não podemos evitar.

Então, os enigmas nos falam. Mostram-nos que não podemos dispensar um apoio brotado do fundo das coisas, apoio de que jamais temos consciência e com que jamais podemos efetivamente contar. É em tal apoio que nos fiamos, quando nos fiamos em nós mesmos. Esperamos que ele não nos falte, na medida em que, com amor e verdade, fazemos o que está a nosso alcance para nos sentirmos dignos de nossa liberdade. Não temos a certeza de poder contar com o auxílio aguardado, mas os enigmas encorajam nossa esperança.

c) Nossa identidade mostra-se ambígua: podemos dar-nos a nós mesmos na liberdade, mas podemos também falhar na tarefa de nos construirmos a nós próprios. A concretização de nossa liberdade mostrou-se equívoca: aparece como um ímpeto que pode, entretanto, conduzir-nos à ruína. E é ambígua também nossa posição no mundo: estamos à vontade ou nos sentimos estranhos a ele?

Parece que não fazemos senão desempenhar papéis. E, sem embargo, no plano da História, identificamo-nos a esses papéis. Ao mesmo tempo, somos e não somos esses papéis.

Quando, em tais papéis, nos sentimos nós mesmos, o mundo se transforma, por assim dizer, em nossa casa, como se, embora originários de outras paragens, nele encontrássemos abrigo.

Contudo, se, nos papéis, não nos sentimos nós mesmos, este mundo não é nosso mundo. Só nos cabe esperar o pior. E, então, embora tenhamos preservado a certeza de nossas origens, é como se, tendo abandonado a pátria distante, chegássemos a este mundo estranho.

Quando nos tornamos – o mundo em sua realidade e nós em nossa origem eterna – estranhos e desajustados, sentimo-nos sacrificados, privados de realidade e fé, com uma liberdade que se despe de sentido.

Teríamos, talvez, caminhado da estranheza de nossas origens para a estranheza deste mundo, sem sermos coisa alguma? A circunstância de podermos desesperar de situações que põem diante de nós enigmas dessa ordem já é uma indicação: quem se pode desesperar não é um nada; pode reencontrar-se.

Vemos nos enigmas a linguagem de todas as coisas, talvez ambígua e fluida, mas proclamando que o fim não é necessariamente o desespero.

Não dispomos, contudo, de qualquer garantia.

4. Falamos de enigmas. Que significa essa palavra? De onde a colhemos?

Da cisão sujeito-objeto resultam representações, conteúdos de pensamento, imagens – que não se limitam a ser apenas isso, mas encerram significação.

Tal significação não é a dos símbolos. Objetivamente falando, uma coisa pode ser indicativa de outra, como o é, por exemplo, a marca de fábrica de uma mercadoria, uma abreviação etc. A significação de que falamos existe, entretanto, sem que exista o objeto significado. As significações que não podem ser reduzidas ao objeto significado são por nós denominadas enigmas. Significam sem significar algo específico. Esse algo reside no próprio enigma e não existe fora dele.

Vivemos num mundo de enigma, onde o que é autêntico deveria revelar-se a nós, mas não se revela e permanece oculto na interminável variação das significações.

Os enigmas constituem, por assim dizer, uma linguagem da Transcendência, que de lá nos chega como linguagem de nossa própria criação. Os enigmas são objetivos; neles, o homem percebe alguma coisa que lhe vem ao encontro. Os enigmas são subjetivos: o homem os cria em função de suas concepções, modo de pensar e poder de entendimento. Na cisão sujeito-objeto, os enigmas são, a um tempo, objetivos e subjetivos.

5. Para muitas religiões, os deuses estavam fisicamente presentes neste mundo. Para a fé cristã, o Deus transcendente se fez homem. Teve morte horrível e ressurreição gloriosa. Um só homem, Jesus, voltou de entre os mortos e é o Cristo ressuscitado. Os que nisso creem, veem nisso um acontecimento histórico, suscetível de localização no tempo e no espaço.

Surpreendemo-nos: ressuscitado na carne? Não é possível, pois um cadáver não recupera vida. Mas não se atesta que o fato ocorreu? A tumba esvaziou-se e o Ressuscitado apareceu a discípulos e discípulas. Ocorre apenas que os testemunhos só atestam a fé dos discípulos e não a realidade do conteúdo de tal fé.

Esse é o cerne da questão: não se pode resguardar a corporeidade da Transcendência no mundo.

As ciências contestam a corporeidade da Transcendência, porque a corporeidade é realidade e a realidade é objeto de ciência e não de fé.

Aquilo de que a ciência nos priva – a corporeidade da Transcendência – fica para nós preservado no domínio dos enigmas.

Os fatos são universalmente válidos. Os enigmas têm existência histórica em um mundo empíreo e só falam a essa mesma existência. Os fatos são investigados. Os enigmas são penetrados pela imaginação e pela especulação.

Os fatos são incontestáveis. Os enigmas iluminam o caminho de nossa liberdade.

As realidades são indiscutíveis: é assim e assim é. Os enigmas não nos propiciam solo firme, pois têm mais de uma face. O enigma "Deus" tomado de maneira direta, dá-nos sentimento de segurança. Contudo, faz-se ambíguo em razão de experiências que temos neste mundo e que não podemos descartar sem nos negarmos a nós mesmos. Não é possível conciliar Deus e Auschwitz. Já o havia percebido Jó. O Antigo Testamento atinge culminâncias de verdade ao dizer que Deus se transforma para os homens e deles se aparta quando estes reconhecem sua revelação e suas promessas – e continua a ser Deus. Mas esse Deus não é mais o Deus anterior. A palavra "Deus" destina-se a designar algo que nós, pura e simplesmente, não chegamos a compreender. O israelita do Antigo Testamento procurou, sem êxito, esclarecer o sentido dessa palavra; mas jamais duvidou de que Deus exista.

Por isso mesmo, a nós, homens, só nos resta escutar uma linguagem de enigmas na qual está incluído o enigma "Deus", nela enxergando linguagem de significações múltiplas. Quando os enigmas se tornam inaudíveis, tudo se faz escuro e desolado em torno de nós. Quando os ouvimos, não achamos tranquilidade.

6. O mundo bíblico e o mundo grego são premissas históricas. Não podemos negá-las.

Deixar de negá-las implica, entretanto, em alterarmos radicalmente nossa maneira de encarar a Bíblia e a tradição. Essa alteração, que é uma viravolta, envolve os três pontos seguintes:

Primeiro: Devemos renunciar a emprestar corporeidade a Deus e à Transcendência. Jamais será possível identificar a Transcendência ao que quer que seja existente no tempo e no espaço. Ela se perde numa Transcendência imanente de que não temos conceito e na qual tudo quanto existe é divino.

Segundo: Em vez de nos preocuparmos com a corporeidade, importa darmos ouvidos aos enigmas da Transcendência que (não sabemos de antemão quais, quando, nem como) nos falam, nos perturbam e nos sustentam. A linguagem dos enigmas é concreta, mas não o é a Transcendência.

Terceiro: Os enigmas são múltiplos; correspondem a possibilidades de aceitação ou rejeição, de proximidade ou afastamento. Estabelecimento de relação com os enigmas evidencia que eles entram em conflito uns com os outros. A variedade dos enigmas ambíguos toma o lugar da base sólida de uma fé.

7. Tudo – realidades, pensamento, fantasia – pode constituir um enigma. Os enigmas diferem entre si até o ponto de se fazerem únicos. Os enigmas da beleza e da vida natural são inofensivos. O politeísmo, enigma da multiplicidade de poderes, desagrega. O Deus único aproxima. A Transcendência de todos os enigmas traz a liberação.

Não há sistema racional capaz de apreender os enigmas, nem ordem dialética em condições de lhes dominar os conflitos. A atividade filosófica, matriz dos enigmas, tem meios de dar expressão a nossas relações existenciais para com eles. É o que vem ocorrendo desde Platão.

O que foi outrora corporeidade dos deuses tornou-se enigma. À clara luz dos enigmas temos a possibilidade de encontrar nosso caminho, o caminho dos picos inacessíveis. O conhecimento de uma infinidade de mitos não nos instrui a respeito deles. E as interpretações psicológicas degradam. Só a experiência existencial desvenda o significado dos enigmas.

Em nossos dias, caberia cogitar de uma tarefa de caráter filosófico, mas semelhante à teologia: o desvendamento filosófico das relações de cada um de nós para com os enigmas. Esse estudo os focalizaria em meio a seus conflitos. E transformaria em presente o que foi passado.

A teologia, entretanto, é dogmática e se funda em crenças; a metafísica dos enigmas seria um mundo de contornos fluidos, fundado na totalidade. A teologia é a dogmática da Igreja; a metafísica dos enigmas teria por base a responsabilidade de cada filósofo (que não se funda em autoridade alheia), dentro do quadro de três milênios de filosofia. A teologia une os crentes numa comunidade institucional; a metafísica dos enigmas viveria com a humanidade e com cada qual dos indivíduos.

XI

O AMOR

1. O hino ao amor, escrito pelo apóstolo Paulo (Cor. I, XIII), assim se inicia: "Ainda que eu falasse as línguas dos homens e dos anjos, se não tivesse caridade seria como o metal que soa ou como o címbalo que tine. E ainda que eu tivesse (...) conhecimento de todos os mistérios e de toda ciência e ainda que tivesse toda a fé (...) e não tivesse caridade, nada seria. E ainda que distribuísse toda a minha fortuna para sustento dos pobres e ainda que entregasse meu corpo para ser queimado, se não tivesse caridade, nada disso me aproveitaria."

São inesquecíveis essas palavras e as subscrevemos. É no amor que somos realmente nós mesmos. Tudo o que em nós tem alguma significação é, em sua origem, amor.

Sabemos, porém, o que seja o amor? Os sentidos da palavra são vários. Fala-se de amor a Deus, ao sexo oposto, aos pais, aos filhos, aos companheiros de destino, à humanidade, ao homem, aos gregos, à pátria, a Kant, a Espinosa. Gostaríamos de saber e explicitar o que seja o amor. Não o conseguiremos. Tentemos, não obstante.

Paulo continua: "A caridade é paciente, é cheia de bondade; não é invejosa, não trata com leviandade, não se ensoberbece. Não se porta com indecência, não busca seus interesses, não se irrita, não suspeita mal, não folga com a injustiça (...)."

Assim deveríamos agir em nossas relações cotidianas com os demais homens. Mas como a segunda parte nos decepciona depois das exaltadoras palavras iniciais! Aqui Paulo só nos fala do que o amor não faz, fala de uma atitude interior de paz, benevolência e tolerância.

Às sentenças referidas seguem-se as seguintes palavras: "(...) mas folga com a verdade (...) tudo crê e tudo espera (...)." Aqui se fala de uma emoção tumultuosa, que se dirige para o não objetivo, para o Transcendente. O amor do homem se expande ao infinito.

Paulo acrescenta: "Agora, pois, permanecem a fé, a esperança e a caridade, estas três, mas a maior delas é a caridade."

"A maior delas" poderia significar algo diverso e para além do que Paulo pretendia, ou seja, a fé que é tão somente uma crença torna-se permeável à dúvida; a esperança choca-se com escolhos e pode naufragar; só o amor sustém nossa existência. No amor experimentamos a única certeza que nos leva à plenitude e nos satisfaz. Só o amor é capaz de desvendar a verdade integral. Não se deixa ofuscar por qualquer objeto de fé, nem por qualquer esperança em um mais-além.

"A caridade jamais perece", enigma de simplicidade grandiosa. Surpreende os não cristãos, como se estivesse procurando traduzir mais do que se pode significar entre seres humanos. Entre humanos, o amor pode ser a eternidade. A eternidade não é futura, mas atual. Antecipações de futuro são enigmas brotados da presença da eternidade.

2. Diante do que deixei expresso, caberia a indagação: de que está você falando? De coisas irreais ou, pelo menos, irrelevantes. O amor é o amor entre os sexos. Essa é a força real e suprema. Aí tem origem tudo que chamamos amor. Aí está a fonte de todas as concepções que, há milênios, se vêm desenvolvendo no espírito dos homens. Para todas as teorias, o sexo é o espelho

em que podemos divisar o amor. Para Platão, Eros é a força que engendra a atividade filosófica. No Antigo Testamento, o amor se expressa na incontida sensualidade do Cântico dos Cânticos. A literatura mística não passa de uma torrente de erotismo. Comecemos, consequentemente, por dar atenção ao amor sexual.

3. Psicofisicamente, o homem é uma das espécies animais, mas, contrariamente ao animal – que não indaga – o homem não pode viver uma existência puramente biológica.

O homem tem peculiar consciência de sua dignidade e é como se o sexo lhe diminuísse tal dignidade – do que advém certo embaraço.

O homem conhece o pudor, desconhecido pelo animal. Esconde o que poria de manifesto sua filiação à natureza.

Para subsistir, o homem reclama regras sociais; e existe, entre outros, um ordenamento que diz respeito à sexualidade. Jamais reinou entre os homens estado de completa promiscuidade (exceto e ocasionalmente em orgias que tinham, com frequência, caráter ritual).

Se plenamente consciente de sua humanidade, o homem ofende seu próximo – seja este de que sexo for – quando dele se utiliza a serviço exclusivo de sua sexualidade.

4. Na gama dos fatos sexuais, podemos distinguir a sexualidade, o erotismo e o casamento. Pedante embora, esse esquema é imprescindível para clareza de nosso propósito. Conquanto falho em relação à realidade, pode proteger-nos contra certas confusões.

A sexualidade é comum a todos os seres vivos. Suas funções podem ser estudadas pela biologia, pela fisiologia e pela psicologia; regulamentar essas funções cabe à higiene e à medicina.

O erotismo é a infinita riqueza de formas que o espírito empresta à sexualidade. O ato sexual torna-se arte. Ele e o que a ele conduz faz-se beleza. O *Kamasutra*, da Índia, ensina as variações do prazer sexual e a *Ars amandi*, de Ovídio, mostra como levá-lo ao paroxismo.

O casamento é a ordenação das realidades sexuais e eróticas, para criação do universo da família, no qual surgem os filhos, protegidos por esse universo. O casamento reclama permanência. É elemento estrutural da sociedade.

Os que se amam desejam, na comunidade doméstica, modelar em conjunto o cotidiano; não aspiram a correr empós de aventuras novas, ao sabor do momento. Desejam que a sociedade os reconheça como um casal.

Daí surge a instituição legal, amparada pelo Estado. O casamento, bem precioso, é um dos milagres da História; é a ordem predominando sobre a sexualidade bruta, é o reconhecimento de obrigações entre os esposos e para com os filhos.

5. Temos falado de realidades: do sexo, enquanto realidade da vida; do erotismo, enquanto realidade do espírito aplicado à sexualidade; do casamento, enquanto realidade da ordem política e moral. Deixando de falar de realidades para falar do próprio amor, damos um salto. Não está no mundo a origem do amor. É experimentado como algo incompreensível que avassala o homem, mas de tal forma que o faz autenticamente homem. Os realistas negam o amor, sob o pretexto de que não é possível determinar-lhe a existência empírica. Não é objeto de ciência. Como toma consciência de si com a consciência de que brota de alhures, denominamo-lo amor metafísico. Ninguém pode saber se ele existe e se, *hic et nunc*, é real entre dois seres humanos.

Esse amor se projeta no tempo como o clarão de um relâmpago que ninguém percebe. Mas, para os que foram atingidos, revela-se o que existia desde a eternidade. É histórico o amor enquanto fenômeno, mas sua história essencial não reside no tempo. Sua história é, com efeito, a de uma repetição infinita, de originalidade sempre renovada, tão poderosa sob a forma de paixão juvenil como na tranquilidade da velhice, lembrança e expectativa a um só tempo.

Esse amor, consciente de ser uma presença da eternidade, altera a forma externa de sua realidade fundamentalmente imutável, na medida em que são percorridos os estágios da vida.

Na juventude, diante de Eros, manifesta-se a timidez. O tesouro insubstituível não deve ser dissipado enquanto não puder ser verdadeiramente gozado no encontro de dois seres que se reconhecem criados um para o outro desde a eternidade, e que, por esse amor, primeiro e último, são um fato único na História. Disso ambos têm consciência sem saber. Sentindo-se com inteira liberdade, sentem-se ligados de forma total e cada qual parece ter encontrado o outro antes do início dos tempos.

Esse amor não é uma possessão. Cria os que se amam, porém não se coloca a serviço deles. Eles não podem desejá-lo. Nem é possível demonstrar a existência do amor quando ele é posto em dúvida. O amor não leva um sinal inconfundível. Não pede reconhecimento. Aqueles a quem ele é dado não o recebem por mérito.

Externamente visto, esse amor aparece necessariamente como uma prisão. Parece roubar, aos que se amam, a liberdade no tempo, colocando-os sob escravidão absoluta e inquestionável. Passam eles a viver uma vida privada de história, porque sempre igual. Se verdadeiramente existem, essas pessoas que se amam aparecem como bizarras figuras aos olhos de terceiros. A atitude fundamental que adotam – e que é monotonamente a mesma – os leva a repetir na velhice avançada o que foi dito na primeira juventude, de maneira igualmente irreal, igualmente vã, igualmente insensata. O que pretendem significar não tem realidade psicológica e não é, portanto, digno de fé.

6. De que modo esse amor metafísico se manifesta no mundo? Não podendo ser apontado como se aponta uma realidade, só pode ser equivocamente percebido. Eis alguns exemplos:

a) Paixão erótica e amor metafísico brotam ambos na juventude, prontos a qualquer sacrifício e voltados para um objeto único. Mas, se, na paixão, reside a intoxicação fortíssima da consciência de eternidade, encontra-se, no amor, a aspiração de permanência no tempo. Paixão é ligação a uma experiência – vem e vai. O amor abriga o sentido profundo do "sempre" e do "para sempre". Só se manifesta uma vez na vida e não se repete. A paixão é cega quanto ao essencial; o amor é clarividente em relação a tudo.

A partir dessas distinções, colocamos perguntas para as quais não há resposta. Pode a certeza do amor metafísico ser um erro causado pela paixão? Pode um parceiro infiel destruir a fonte de amor que, com ele, se perdeu para quem o ama sinceramente? Ou é possível que os que se amam cheguem a um encontro verdadeiro, mesmo após a experiência de um naufrágio erótico – entendendo que se pertencem desde a eternidade, reconhecendo-se um ao outro, admitindo os erros cometidos, assumindo-lhes a responsabilidade e buscando ultrapassá-los?

É possível a um dos parceiros simular amor metafísico, levando o outro a considerá-lo real até que a infidelidade ponha fim a essa ilusão? E essa ilusão, embora esvaziada de conteúdo, poderá manter-se na cisão que se manifesta entre a fantasia poética e a infidelidade real?

São indagações inquietantes a que não é possível dar resposta nem quando elas se colocam em termos teóricos, nem quando brotam de dramas concretos.

b) O encontro ocasional é a condição aleatória a que a eternidade se vê sujeita no tempo. O acontecimento aleatório é qualquer e, entretanto, por ser único, faz-se inalterável. Haverá seres humanos que permanecem na solidão porque não tiveram a "oportunidade" de encontrar seu parceiro predestinado e se recusam a contentar-se com menos? Perderão eles, na confusão do mundo, a possibilidade de se fazerem transparentes aos próprios olhos porque jamais se realizou aquele encontro?

c) O amor metafísico é capaz de romper as cadeias da existência empírica, na hipótese de a violenta realidade do mundo opor-se à sua realização? Para amantes em tais condições, cessa o mundo de existir?

7. Essas conjecturas a propósito de ilusões e destruições levam-nos a indagar se o amor metafísico estará condenado a desaparecer deste mundo. Ocorrerá que ele se estiole necessariamente, reduzindo-se a mera potencialidade num mundo que lhe é hostil? Ou poderá vir a realizar-se?

Tocado por uma visão de beleza corporal, já maduro na juventude, embora apenas em seu começo como realização no tempo, o amor metafísico se põe diante de uma alternativa: estará destinado a resultar em quebra violenta de uma existência, permanecendo irrealizado, não vivido, ou poderá vir a realizar-se?

Nesta última hipótese, o tempo e os ordenamentos sociais reclamarão o que lhes é devido. O amor desemboca no casamento, com a decisão de durar para sempre, o que é mais do que pedem a moral e a lei civil.

Começa, então, a batalha do amor em meio às realidades do mundo e a sucessão de vitórias comuns sobre diferentes situações. Sucedem-se as idades da vida. Desaparece a beleza corporal da juventude. Contudo, existencialmente esculpida pela própria vida, há, na beleza da velhice, mais que lembrança da juventude. Kirkegaard tinha razão ao dizer que a mulher se torna mais bela com os anos. Dá-se apenas que só pode percebê-lo o homem que a ama.

8. Nosso esquema dizia: o desejo sexual, o jogo erótico, a paixão, a instituição do casamento, a origem eterna da união de dois seres – tudo isso se contém na palavra "amor".

Nesse esquema distingue-se, entretanto, o que é, em verdade, inseparável. Os elementos do amor alcançam a perfeição quando reunidos; se isolados, degeneram.

Contudo, a origem metafísica, a decisão, a promessa, o contrato jurídico, a paixão erótica e a realização sexual devem, realmente, compor uma unidade.

Não há exemplo dessa perfeição no concreto do tempo. Não cabe imaginá-la. Na ordem temporal, surgem as impurezas. Chocam-se os elementos do esquema. O amor metafísico, que afastaria a contradição dos elementos, não chega a impor-se.

Por fazer parte da natureza, o homem abriga forças que se opõem àquela unidade. Os gregos rendem culto a Afrodite, deusa da sexualidade, exaltada sob a forma da beleza; a Ártemis, que encarna a repulsa ao sexual; a Hera, deusa tutelar do matrimônio; a Demeter, deusa-mãe, força universal de fecundidade e de destruição.

Eis, porém, como Demóstenes expõe o comportamento prático dos atenienses: "Dispomos de hetairas para nosso entretenimento, de amantes de aluguel para satisfação de nossos corpos e, finalmente, de esposas, cujo dever é proporcionar-nos descendentes legítimos e dirigir os negócios domésticos".

É a solução dada por homens que dispõem de mulheres para diferentes fins. Isso degrada a mulher e torna o homem indigno desse nome, despoja uma e outro da própria dignidade. Uma ordem puramente masculina é tão corruptora da natureza humana quanto uma ordem exclusivamente feminina.

O humano deve ter precedência sobre o sexual. O homem e a mulher são, antes de tudo, seres humanos e, só em seguida, seres sexuados.

Nenhuma unidade perfeita virá a resolver os antagonismos básicos da sexualidade humana. Em tal sentido, êxito ainda que relativo deverá ser visto como bem imerecido. Com frequência, a situação se pinta de maneira oposta: a sexualidade se torna funcionalmente patológica e esmaga o respeito próprio. Efêmera paixão erótica ameaça privar o homem de sua essência mais íntima. O adultério mostra que dele nada resulta. Fechamos os ouvidos aos apelos da origem metafísica. E tudo baixa a nível inferior: a vida amorosa torna-se confusão. Intoxicação e banalidade, vida confortável e excessos prudentes, dificuldades e fuga. A autocompreensão perde-se ou transforma-se em arrogante mendacidade. Em vez de repousar em plenitude, o homem vê-se entre forças conflitantes, diante das quais as imagens de harmonia não são menos chocantes que os prazeres decorrentes de uma pretensa liberdade que tende à vulgaridade e ao caos.

Posto em confronto com a magnitude dessa tarefa, o homem pode ser visto como possibilidade sublime e como fonte da própria corrupção.

O amor que se revela no decurso de toda uma vida não projeta um padrão na realidade, pois cada par de amantes é único na maneira de ser engolfado pela liberdade e pelo destino, de ser dilacerado pelo céu e pelo inferno.

9. Voltemos a nosso ponto de partida: que é o amor? Mesmo no amor entre os sexos, o amor é mais que os sexos. Tem sentido infinitamente vasto. Exemplifiquemos.

Fala-se do amor a Deus. O amor que tem por objeto um ser humano vê esse objeto, ainda que, sob a feição de amor metafísico, transcenda o tempo. O amor a Deus não encontra seu objeto neste mundo.

O "*amor intellectualis Dei*", de Espinosa, pretende significar que a razão pura – modo supremo de conhecimento, superior à inteligência e via de liberdade para o homem – se confunde com o amor a Deus. Espinosa não espera, entretanto, que Deus retribua o amor. Com efeito, Deus não é um ser humano entregue ao amor e o amor espinosiano é desinteressado.

Corresponde à atitude por Jeremias assumida em relação a Deus. Basta-lhe que Deus exista. O amor a Deus é seu apoio infalível. Admitia-se que os judeus morressem crendo, ainda que não mais distinguissem a mão de Deus e ainda que, no foro íntimo, houvessem enunciado as mais violentas acusações a Deus. Por certo que eles confiavam na promessa e na proteção do Deus que os guiava. Sem embargo, quando promessa e proteção faltavam, sentiam-se garantidos pela pura certeza de que Deus existe. Deus pode desaparecer enquanto Deus imaginável, enquanto fonte da lei, enquanto Deus de misericórdia, enquanto Deus-amor. Tudo isso degrada a divindade. Só o homem é um tu para o outro. Transformar Deus em um Tu constituirá, talvez, um enigma numa oração. Espinosa, Jeremias vivem não da ideia de que Deus lhes tem amor, porém da ideia de que Deus existe.

O amor iluminado pela razão filosófica liga-se a uma confiança – inexplicável, sem objeto, intelectualmente incompreensível – no fundamento último das coisas.

Não enumerarei os muitos outros objetos a que se dá o nome de amor. Para encerrar esta exposição, coloca-se o problema de saber se o amor repousa sobre algo que apreendemos através de penetração nas suas múltiplas formas de manifestar-se.

Esse amor que abrange todas as espécies de amor, que ilumina a vida sexual mas dela não procede e, portanto, a ela não está ligado – esse amor não admite expressão esclarecedora.

10. Entretanto, esse amor de que falamos como se soubéssemos o que ele seja, esse amor único e abrangente é aquele em que somos autenticamente o que somos.

Esse amor, se perfeito e puro, seria razão exclusiva e suficiente de nossa vida. Um amor perfeito dispensaria a lei moral e a ordem pública, porque a elas daria surgimento em cada situação concreta e implicaria observância de seus preceitos. Sem embargo, o homem, como ser racional e sensual, é incapaz de amor perfeito e o degrada e fere e diminui e, por essa razão, precisa estar sujeito a restrições brotadas da ciência e da consciência, mesmo quando ama. Se houvesse alguém capaz de viver na clarividência do amor, ser-lhe-ia aplicável o dito de Santo Agostinho: "ama e faze o que quiseres". Como, porém, somos todos homens, sujeitos ao engano e à cegueira, expostos à ação de forças hostis ao amor, não podemos viver sem restrições. Todo amor que, por exemplo, transgrida os Dez Mandamentos, já não será amor, mas, subjugado por paixões estranhas, estará utilizando mentirosamente o rótulo do amor.

Tal o motivo por que não podemos recorrer ao amor para justificar uma conduta, uma atitude, um juízo. Por ignorarmos o que é o amor, não podemos empregá-lo para a realização de operações racionais.

E, apesar disso, toda justificação racional e qualquer vida conforme à lei moral, embora essenciais para que vejamos claro, nada serão se não se realizarem através do amor e no amor irão encontrar o apoio melhor.

O amor não reconhece instância que lhe esteja acima. Julga suas próprias manifestações, recorrendo à consciência moral; julga-as impiedosamente, mas com amor.

XII

A MORTE

1. Toda vida está posta entre dois parênteses: nascimento e morte. E só o homem tem consciência disso.

O nascimento é fato de que não se tem lembrança. Quem se reconhece existindo tem a impressão de que sempre existiu, de que desperta de um sono sem memória. Ouvir falar do próprio nascimento não estimula qualquer recordação. Pessoa alguma guarda experiência do início de seu existir.

Estamos todos destinados à morte. Ignorando o momento em que ela virá, procedemos como se nunca devesse chegar. Em verdade, vivendo, não acreditamos realmente na morte, embora ela constitua a maior de todas as certezas.

A consciência puramente vital desconhece a morte. É preciso que nos demos conta da morte, para que ela se torne uma realidade para nós. A partir daí, transforma-se a morte em uma situação-limite: aqueles que me são mais caros e eu próprio cessaremos de existir. A resposta a essa situação-limite há de ser encontrada na consciência existencial de mim mesmo.

2. Costumamos dizer: o que nasceu deve morrer. A ciência biológica não se contenta com isso. Gostaria de conhecer o porquê. Sobre que processos vitais repousa tal necessidade? Pensa-se em retardar o processo de envelhecimento e chega-se a cogitar de, controlando os processos vitais que levam à morte

(processos que um dia conheceremos), atingir o ponto de poder manter vivo, pelo tempo que se deseje, tudo quanto haja nascido. Ninguém, entretanto, duvida de que, mesmo prolongando artificialmente a vida por tempo cada vez maior, a morte será, ao fim, inevitável. Como o sexo, a morte faz parte da vida. Um e outra permanecem mistérios ligados à fonte de nossa existência.

3. Tememos a morte. Observe-se, porém, que a morte – o cessar de ser – e o ato de morrer – cujo termo é a morte – provocam angústias muito diversas.

O temor da agonia é temor de sofrimento físico. A agonia não se confunde com a morte. A angústia a que ela dá lugar pode manifestar-se em muitas crises, vindo o paciente a recuperar-se. E poderá ele dizer: "morri várias vezes". Não obstante, a experiência colhida nessas ocasiões não é a experiência da morte. Todo sofrimento é experimentado por alguém que está vivo. A morte escapa à experiência.

O processo natural de agonia pode desenrolar-se sem sofrimento: há mortes instantâneas. Em tais casos, não há tempo de o fenômeno atingir a consciência. Pode passar despercebido por coincidir com astenia ou com o sono. A medicina tem meios de reduzir os tormentos gerados por doenças fatais. Embora a agonia seja uma realidade psicofísica, é possível que a biologia e a farmacologia venham, de futuro, a permitir que, em todos os casos, a morte se desacompanhe de sofrimento.

Inteiramente diversa é a agonia diante da morte quando esta é concebida como estado que sucede à desaparição da vida. Nenhum médico nos pode livrar dessa angústia; só o pode a filosofia.

4. Todas as concepções acerca do estar morto são desprovidas de base. Do mais-além não há qualquer experiência, nem se recebeu qualquer sinal. Jamais alguém retornou de entre os

mortos. Daí decorre a ideia de que estar morto é não ser, de que a morte é o nada.

O temor da morte é o temor do nada. Não obstante, parece impossível afastar a ideia de que à morte sucede uma outra existência. O nada posterior ao fim não é efetivamente um nada. Vida futura me aguarda. O temor da morte é o temor do que após ela ocorre.

Tanto um como outro desses temores – o temor diante da morte e o temor do que depois suceda – é sem base. O nada só o é face à realidade que existe no tempo e no espaço. E, além disso, não há uma outra existência concreta frente à qual o temor se justificasse. Mas, quer essa afirmação deixar assentado que carece de base a consciência de imortalidade?

5. A morte do ser que me é mais caro, a privação de sua presença física, o sofrimento infindável que brota do "nunca mais" pode, tanto quanto os momentos sublimes, transformar-se em consciência de presença.

É vão o consolo que se apoia na afirmativa de que sobreviveremos na lembrança de outros, na descendência, em obras imperecíveis, na glória que atravessará os tempos. Tudo chega a um fim: não apenas o que eu sou e o que os outros são, mas também a humanidade e tudo quanto ela produz e realiza. Tudo mergulhará no esquecimento, como se jamais tivesse existido.

Para quem não crê, nada significa a promessa de ressurreição. A crença na ressurreição sustenta que a morte é real. O fim do homem é seu cadáver e a decomposição. Dele nada resta. Se a imortalidade existe, será preciso que o homem renasça fisicamente. E isso ocorrerá. Os mortos ressuscitarão por ato de Deus que lhes devolverá vida e corpo. No último dia, Deus fará com que os mortos abandonem suas tumbas, para serem submetidos ao Juízo Final. Para a consciência existencial de quem nela não crê, a ressurreição da carne carece de significado.

Mas não deixa de ter sentido a sede de eternidade. Existe algo em nós que não se pode crer suscetível de destruição. Tarefa da filosofia é lançar alguma luz sobre a natureza desse algo.

Na origem de tal ideia, pode-se reconhecer a seguinte distinção: a sede de sobreviver no tempo está ligada a nossa existência empírica: inteiramente diverso é o desejo de eternidade. E só posso conceber essa eternidade nos mesmos termos em que concebo o tempo. Tentemos demonstrá-lo a pouco e pouco.

6. Distinguimos um tempo cíclico e um tempo linear. À pergunta "por que a morte?", o médico pitagórico Alcmeon (VI século a.C.) respondia: "Os homens morrem porque lhes falta o poder de ligar o começo ao fim." Quem conseguisse fazer tal ligação, concluía ele, tornar-se-ia imortal. Que pretendia ele significar? O ciclo do tempo, visto como recorrência, é a imortalidade do que em tal ciclo se produz. E isso não ocorre espontaneamente, mas em razão da "força" de que falava Alcmeon. Nietzsche acreditava que a crença no eterno retorno é a mais enérgica afirmação da vida. A todo instante, está ligando o fim ao começo. Vive no ciclo do eterno retorno. Pode ocorrer que a distância a separar o fim (morte) do começo (novo nascimento) seja imensa, mas reduz-se a nada se a vida é revivida de maneira infinitamente repetitiva, fazendo-se, em tal sentido, imortal.

Como imagens desse "eterno retorno" absoluto, podem ser lembradas repetições particulares, como a dos dias e a das estações. O tempo é absoluto. Tudo é temporal e, por isso mesmo, eterno, graças ao retorno.

Inteiramente diverso é o que se passa com o tempo linear. Tudo que é temporal é levado pelo tempo linear a um fim irremediável. O caráter transitório do que é temporal, do que tem para nós realidade empírica engendra tristeza de que não nos apartamos mesmo quando tomados pela alegria de viver e que supomos perceber nas próprias coisas. Essa tristeza só pode ser vencida por algo indestrutível e que, por ser imutável, não é temporal, embora o pareça.

O tempo cíclico e o tempo linear dão peso a nossos instantes, mas de maneiras diversas. No tempo cíclico, faz-se aquilo que se repete infinitamente – e permanece temporal. No tempo linear, o que é eterno se resolve no tempo – e o tempo é ultrapassado. Em ambos os casos, tudo se perde para só uma coisa permanecer – o retorno temporal ou a realidade intemporal.

Tempo linear e tempo cíclico são enigmas incompatíveis. O tempo cíclico torna possível a ideia do "uma vez mais" por meio do eterno retorno, embora de um tempo a outro não se transmita memória ou conhecimento. O tempo linear envolve a grave questão de decidir o que é eterno no fenômeno histórico singular, muito embora a eternidade e o fenômeno temporal não admitam um conceito comum de realidade.

O passo seguinte nos conduzirá para além da temporalidade.

Na concepção cíclica, o tempo se mantém absoluto. É o intransponível último. Faz-se preciso recorrer à visão linear para chegar a uma concepção que se projete para além do tempo. Essa concepção nos leva a dizer: colocamo-nos diante de nós mesmos e diante de nós se colocam todas as coisas; essa manifestação ocorre necessariamente no tempo; não podemos fugir ao tempo do mundo; não há outro mundo real e investigável nem anterior, nem posterior ao tempo, que seja também temporal. E é como se uma nova dimensão se abrisse diante de nosso pensamento e de nossa experiência.

7. Distinguimos entre temporalidade, ausência de tempo e eternidade.

A temporalidade é o devir real, que não tem começo, nem fim, nem origem, nem propósito, nem fundamento. Dela temos experiência no presente sensível em que nos movemos enquanto existentes.

Ausência de tempo equivale a independência diante de qualquer espécie de tempo, tal como se dá quando atuamos no campo das ciências lógicas e matemáticas. O teorema de Pitágoras era válido antes de ser por ele descoberto e continuará a sê-lo mesmo quando ninguém mais dele cogite. Temporal não é, portanto, o sentido do teorema, porém tão somente sua descoberta e o ato de refletir acerca de sua significação. Consegue-se experiência da ausência de tempo pensando uma significação intemporal.

A eternidade, por fim, é a unidade que resulta do presente temporal e do ser intemporal, daquilo que está no tempo e o atravessa, do temporal e intemporal. É a realidade eterna que se opõe tanto à irrealidade intemporal como à realidade temporal. Só a existência pode alcançar experiência dessa eternidade. Dos pontos de vista lógico e empírico, estamos diante de um absurdo.

Para tornar inteligível esse absurdo (experiência de eternidade feita no tempo), recordarei a "reviravolta" filosófica da consciência do ser, a propósito da qual falei em minha terceira conferência.

8. Ultrapassemos a cisão sujeito-objeto, para passar daí ao abrangente, cujo esclarecimento leva a compreender a reviravolta mencionada.

Não mais estou ligado a um objeto em si. Pelo contrário, enquanto consciência absoluta e de acordo com os diferentes modos do abrangente, ligo-me aos objetos pensados: enquanto existente, estou ligado ao meio; enquanto existência, estou ligado à Transcendência. Não sou, porém, sujeito nem objeto: em cada caso, sou o abrangente. Na medida em que nada sou além de mim mesmo, sou o abrangente da existência e, assim, abarco todos os demais modos do abrangente.

Se adquiro certeza da realidade de minha existência no que diz respeito à Transcendência, vejo-me em duas posições aparentemente contraditórias:

Primeira: Reconhecendo-me a mim mesmo como ser empírico, torno-me claro a meus próprios olhos, enquanto existente manifesto que se orienta num mundo que também se vai tornando cada vez mais claro. Quanto maior a clareza atingida, maior a possibilidade de a verdade ser atingida.

Segunda: Essa mesma clareza me leva a tomar consciência de que estou como que numa prisão, prisão que se constitui no fato de o mundo tornar-se objetivo.

Essas duas posições se reúnem para constituir vontade de atingir orientação máxima neste mundo e de ultrapassar essa orientação. Estando na prisão, estou, ao mesmo tempo, fora dela, ao me dar conta de que nela estou. Daí decorre o que adiante exponho.

Se tomo ciência do mundo enquanto fenômeno, tomo ciência, ao mesmo tempo, do que é eterno e pode, na linguagem dos enigmas, estar presente.

Libero-me do absolutismo das coisas. Face a face com as coisas, sujeito a elas enquanto existente, tomo consciência de mim como um ser que é, por assim dizer, anterior a elas.

9. Com essa reviravolta, altera-se também a atitude interior a respeito da morte.

A morte é o fim, como a vida é o começo da manifestação temporal. A imortalidade, entretanto, é sinônima de uma eternidade em que passado e futuro desaparecem. Apesar de temporal, o momento, quando existencialmente realizado, participa da eternidade do que abrange todos os tempos. A ideia de "eternidade do instante" é contraditória. Busca exprimir a verdade em que a realidade do que é corporal no tempo se confunde com a idealidade intemporal do essencial – eternidade do real.

A consciência vital da existência empírica não se confunde com a consciência existencial do nosso eu. A existência só desperta quando o existente é sacudido pela ideia da morte. A existência ou se perde no desespero face ao nada ou se revela a si mesma na certeza de eternidade.

A vida real neste mundo ou se deixa penetrar pela consciência de eternidade ou é fútil. Não se perde quando nossa existência empírica naufraga.

Somos mortais enquanto simples existentes, e imortais quando aparecemos no tempo como o que é eterno. Somos mortais no desamor, imortais no amor. Somos mortais na indecisão, imortais na decisão. Somos mortais enquanto natureza, imortais quando dados a nós mesmos em nossa liberdade.

10. Conjecturas (acerca, por exemplo, do tempo, do retorno, da eternidade) não são conhecimento específico de algo, porém linguagem que nos diz ou não nos diz alguma coisa.

Ideias suscetíveis de lançar luz sobre a existência (como, por exemplo, as relativas ao abrangente ou à experiência da imortalidade) não criam a consciência da presença eterna; mas a justificam. A experiência tem lugar na insubstituível unicidade de cada existência e não decorre de um conhecimento ou de uma promessa.

11. As ideias filosóficas – tanto as puramente especulativas como as esclarecedoras da existência – podem ver sua significação degradar-se rapidamente. Por termos a impressão de conhecer filosoficamente o que amamos, gostaríamos, por assim dizer, de manter-lhe firmemente a eternidade em nossas mãos. Mas, como certeza, a imortalidade nos escapa. Certeza de imortalidade só é possível em articulação com a existência.

A filosofia não deve caminhar ao encontro de manifesto desejo de consolação, de uma tranquilidade prematura, nem deve oferecer conhecimento. Veracidade e filosofia são inseparáveis.

Ao referirmo-nos a morte e a imortalidade, nada sabemos. Mas, no plano das atitudes diante da morte, podemos distinguir as existencialmente sinceras das que são existencialmente insinceras. Eis quatro exemplos dessa comparação:

Primeiro: Afasta-se a morte de nossos olhos, pretende-se ignorá-la. Ou, pelo contrário, nela se pensa constantemente, esquecendo a vida. Libertação dessas duas insinceridades virá como decorrência da resposta à seguinte indagação: considerando que a morte existe, há procedência no que faço e experimento?

Segundo: A ideia de morte pode engendrar o temor de não viver em autenticidade. Ter os olhos fixos num vazio exterior e interior provoca a busca de refúgio numa atividade incessante e fuga à reflexão. Uma inquietude secreta permanece, entretanto. Dela a força vital só nos livra em aparência; em verdade, só nos sentiremos liberados por enérgica reflexão acerca da morte. Essa reflexão mostra que, a par do significado vital do homem, há o peso eterno de seu amor. Tranquilidade face à morte deriva da consciência daquilo de que morte alguma nos pode privar.

Terceiro: Toda existência empírica está escravizada à morte. Contudo, o homem que, em vida, adquire conhecimento da morte e reflete acerca da vida e não da morte, rompe a escravidão.

Quarto: O conhecimento da morte precipita-nos a abismo onde tudo se faz indiferença porque nada adquire ser. A experiência existencial, mostrando que a morte não é autêntica, afasta o desespero em face do nada. Nas depressões da existência, sentimo-nos desencorajados e sentimo-nos estimulados nas fases de ascensão. Avançando num passar de um a outro desses estados de ânimo, chegamos a ser nós mesmos.

Resumamos:

Sabemos que haveremos de morrer. Da morte, como estado, nada sabemos.

É arrebatado de nossas mãos aquilo a que nos havíamos apegado como ciência ou como conhecimento apoiado na fé.

A tarefa do homem consiste em viver aleatória e perigosamente, segundo as exigências mais altas que brotem de cada situação enfrentada. Ter certeza da imortalidade o privaria de seu próprio ser. Ignorá-la o leva a si mesmo e o coloca em seu caminho.

Disse Lessing: "Por que não podemos aguardar tranquilamente a vida futura, como aguardamos o dia de amanhã... Existisse uma religião capaz de nos esclarecer definitivamente a respeito de tal vida e melhor seria que não a escutássemos."

12. Mesmo Lessing, entretanto, considera que a ignorância é insuficiente quando é vazia. A imortalidade fala através de imagens e ideias vagas, imagens e ideias que não pretendem ser concretamente verdadeiras e corresponder a uma ciência.

Poderemos nós apreender, sob a forma de enigmas, nos mitos, aquilo que nos é inacessível? Poderemos comunicar a nós mesmos, através do pensamento conceitual, o que experimentamos, talvez, como uma certeza de nossa existência, mas que nos escapa desde que pretendamos capturá-lo pelo conhecimento?

Em seu *Fédon*, que emprestou coragem a homens inúmeros, Platão relata a morte de Sócrates. E leva-o a exprimir, no dia de sua morte, ideias cuja verdade foi atestada pela realidade dessa morte.

Por convincentes que lhe pareçam, as provas de imortalidade não satisfazem Sócrates. Vocês experimentam, diz ele a seus amigos, o terror infantil de que o vento divida a alma em pedaços, assim que ela escapar do corpo. À criança que nisso crê tentamos fazer com que não tema a morte como se teme um espantalho. Essa criança – e todos os homens continuam crianças – deve conseguir sua cura ajudada, dia após dia, por fórmulas mágicas. E essas fórmulas mágicas são os mitos.

Depois de haver descrito, por meio de um mito, o destino das almas após a morte e de ter mostrado que, na dependência de como agiram na vida, são lançadas ao Tártaro ou ascendem para a luz, Sócrates diz: "Neste gênero de problemas, nenhum homem sensato procuraria provar a verdade absoluta do que eu disse... mas o que eu disse parece corresponder a uma crença aceitável, digna de merecer nossa adesão. O risco por nós assumido é razoável e, para tranquilizar-se, o espírito reclama ideias desse gênero, que desempenham o papel de fórmulas mágicas."

Ouvimos uma linguagem diversa da que se refere às realidades do mundo. É um jogo de ideias traduzindo gravidade que só em tal jogo se pode manifestar.

Assim acredita Sócrates que, no após-morte, continuará a manter, com os homens mais sábios, as conversações que encetou neste mundo, para descobrir e partilhar a verdade.

É assim que Cipião (no *Sono de Cipião*, de Cícero) imagina que no após-morte conviverá com os estadistas que asseguraram liberdade à república, dando provas de inteligência política e de espírito de sacrifício.

Ao morrer, reencontramos nossos mortos queridos. Eles nos acolhem em seu meio. Não nos vemos mergulhados no vazio do nada, mas na plenitude de uma vida verdadeiramente vívida. Adentramos um sítio penetrado pelo amor, iluminado pela verdade.

Até o último suspiro, Sócrates manifesta sua crença na eternidade. Tendo Críton perguntado como deveriam enterrá-lo, Sócrates sorri e responde: "Críton não quer admitir que este Sócrates que lhes fala seja o meu verdadeiro *eu*. Crê, antes, que eu seja aquele que, dentro em pouco, ele verá sob a forma de cadáver. Por isso pergunta como deve enterrar-me. Contudo, prossegue, se meus amigos virem cremar ou enterrar meu corpo, não devem afligir-se como se alguma coisa horrível estivesse acontecendo a Sócrates e nem devem dizer que é Sócrates que se incinera ou que se conduz ao túmulo. Tão somente seu corpo será sepultado, da maneira que os amigos considerem melhor e que pareça melhor corresponder aos costumes: Sócrates mesmo terá partido há muito.

XIII

A FILOSOFIA NO MUNDO

1. Seja a filosofia o que for, está presente em nosso mundo e a ele necessariamente se refere.

Certo é que ela rompe os quadros do mundo para lançar-se ao infinito. Mas retorna ao finito para aí encontrar seu fundamento histórico sempre original.

Certo é que tende aos horizontes mais remotos, a horizontes situados para além do mundo, a fim de ali conseguir, no eterno, a experiência do presente. Contudo, nem mesmo a mais profunda meditação terá sentido se não se relacionar à existência do homem, aqui e agora.

A filosofia entrevê os critérios últimos, a abóbada celeste das possibilidades e procura, à luz do aparentemente impossível, a via pela qual o homem poderá enobrecer-se em sua existência empírica.

A filosofia se dirige ao indivíduo. Dá lugar à livre comunidade dos que, movidos pelo desejo de verdade, confiam uns nos outros. Quem se dedica a filosofar gostaria de ser admitido nessa comunidade. Ela está sempre neste mundo, mas não poderia fazer-se instituição sob pena de sacrificar a liberdade de sua verdade. O filósofo não pode saber se integra a comunidade. Não há instância que decida admiti-lo ou recusá-lo. E o filósofo deseja, pelo pensamento, viver de forma tal que a aceitação seja, em princípio, possível.

2. Mas como se põe o mundo em relação com a filosofia? Há cátedras de filosofia nas universidades. Atualmente, representam uma posição embaraçosa. Por força da tradição, a filosofia é polidamente respeitada, mas, no fundo, objeto de desprezo. A opinião corrente é a de que a filosofia nada tem a dizer e carece de qualquer utilidade prática. É nomeada em público, mas – existirá realmente? Sua existência se prova, quando menos, pelas medidas de defesa a que dá lugar.

A oposição se traduz em fórmulas como: a filosofia é demasiado complexa; não a compreendo; está além de meu alcance; não tenho vocação para ela; e, portanto, não me diz respeito. Ora, isso equivale a dizer: é inútil o interesse pelas questões fundamentais da vida; cabe abster-se de pensar no plano geral para mergulhar, através de trabalho consciencioso, num capítulo qualquer de atividade prática ou intelectual; quanto ao resto, bastará ter "opiniões" e contentar-se com elas.

A polêmica torna-se encarniçada. Um instinto vital, ignorado de si mesmo, odeia a filosofia. Ela é perigosa. Se eu a compreendesse, teria de alterar minha vida. Adquiriria outro estado de espírito, veria as coisas a uma claridade insólita, teria de rever meus juízos. Melhor é não pensar filosoficamente.

E surge os detratores, que desejam substituir a obsoleta filosofia por algo de novo e totalmente diverso. Ela é desprezada como produto final e mendaz de uma teologia falida. A insensatez das proposições dos filósofos é ironizada. E a filosofia vê-se denunciada como instrumento servil de poderes políticos e outros.

Muitos políticos veem facilitado seu nefasto trabalho pela ausência da filosofia. Massas e funcionários são mais fáceis de manipular quando não pensam, mas tão somente usam de uma inteligência de rebanho. É preciso impedir que os homens se tornem sensatos. Mais vale, portanto, que a filosofia seja vista como algo entediante. Oxalá desaparecessem as cátedras de filosofia. Quanto mais vaidades se ensine, menos estarão os homens arriscados a se deixar tocar pela luz da filosofia.

Assim, a filosofia se vê rodeada de inimigos, a maioria dos quais não tem consciência dessa condição. A autocomplacência burguesa, os convencionalismos, o hábito de considerar o bem-estar material como razão suficiente de vida, o hábito de só apreciar a ciência em função de sua utilidade técnica, o ilimitado desejo de poder, a bonomia dos políticos, o fanatismo das ideologias, a aspiração a um nome literário – tudo isso proclama a antifilosofia. E os homens não o percebem porque não se dão conta do que estão fazendo. E permanecem inconscientes de que a antifilosofia é uma filosofia, embora pervertida, que, se aprofundada, engendraria sua própria aniquilação.

3. O problema crucial é o seguinte: a filosofia aspira à verdade total, que o mundo não quer. A filosofia é, portanto, perturbadora da paz.

E a verdade o que será? A filosofia busca a verdade nas múltiplas significações do ser-verdadeiro segundo os modos do abrangente. Busca, mas não possui o significado e substância da verdade única. Para nós, a verdade não é estática e definitiva, mas movimento incessante, que penetra no infinito.

No mundo, a verdade está em conflito perpétuo. A filosofia leva esse conflito ao extremo, porém o despe de violência. Em suas relações com tudo quanto existe, o filósofo vê a verdade revelar-se a seus olhos, graças ao intercâmbio com outros pensadores e ao processo que o torna transparente a si mesmo.

Quem se dedica à filosofia põe-se à procura do homem, escuta o que ele diz, observa o que ele faz e se interessa por sua palavra e ação, desejoso de partilhar, com seus concidadãos, do destino comum da humanidade.

Eis por que a filosofia não se transforma em credo. Está em contínua pugna consigo mesma.

4. A dignidade do homem reside em perceber a verdade. Só a verdade o liberta e só a liberdade o prepara, sem restrições, para a verdade.

É a verdade o significado último para o homem no mundo? É a veracidade o imperativo último? Acreditamos que sim, pois a veracidade sem reservas, que não se perde em opiniões, coincide com o amor.

Nossa força está em agarrarmos os fios de Ariadne que a verdade nos lança. Mas a verdade só é a verdade total. É preciso que a verdade múltipla seja levada a convergir para a unicidade. Jamais chegamos a possuir essa verdade integral. Eu a nego quando vou ao extremo da afirmação, quando erijo o que sei em absoluto. Eu a nego também quando tento sistematizá-la em um todo, porque a verdade total não existe para o homem e porque essa ilusão o paralisa.

Todo aquele que se dedica à filosofia quer viver para a verdade. Vá para onde for, aconteça-lhe o que acontecer, sejam quais forem os homens que ele encontre e, principalmente, diante do que ele próprio pensa, sente e faz – está sempre interrogando. As coisas, as pessoas e ele próprio devem tornar-se claros a seus olhos. Ele não se afasta de seu contato. Ao contrário, a ele se expõe. E prefere ser desgraçado em sua busca da verdade a ser feliz na ilusão.

Faz-se preciso que o que é se ponha manifesto.

É possível certa confiança, mas não a certeza. A verdade, mesmo quando nos abate, revela – se for realmente a verdade – aquilo que nos salva. E produz-se o milagre da filosofia: se recusarmos todos os enganos, afastarmos todos os véus, expusermos à luz todas as insinceridades, se nos obstinarmos a avançar de olhos abertos, sujeitando nossas críticas a outras críticas, essa crítica acabará por não ser destruidora. Muito ao contrário, veremos, por assim dizer, revelar-se o próprio fundamento das coisas onde vemos luz, como um restaurador vai-se apercebendo de um Rembrandt por sob a pintura posterior que o escondia.

E se a luz não se revelar? Se, ao fim, o homem descobrir a máscara de Górgona e vir-se transformado em pedra? Não temos o direito de olvidar que isso é suscetível de acontecer. A filosofia se expõe a abismos diante dos quais não deve fechar os olhos, assim como não pode esperar que desapareçam por encanto.

Torna-se mais clara do que nunca a questão que, desde o início, se pôs para o homem. O "sim" para a vida é a grande e bela aventura, porque permite a realização da razão, da verdade e do amor. O "não" à existência, traduzido pelo suicídio, é a realidade para homens diante de cujo segredo permanecemos calados. Põe-se fronteira que não temos o direito de esquecer.

5. A filosofia se destina ao homem enquanto homem ou apenas a uma elite fechada em si mesma? Para Platão, poucos homens são aptos para a filosofia e só adquirem tal aptidão após longa propedêutica. Há dois tipos de vida na Terra, disse Plotino, um próprio dos sábios e o outro da massa dos homens. Também Espinosa só espera filosofia do homem excepcional. Kant, porém, acredita que a rota por ele traçada pode tornar-se um caminho real: a filosofia aí está para todos. E seria mau se fosse diferente. Os filósofos não passam de elaboradores e guardiães de atas, onde tudo deve estar justificado com precisão máxima.

Contra Platão, Plotino, e quase toda a tradição, acompanhamos Kant. Trata-se de uma decisão filosófica de grande alcance para a atitude interior do filósofo. Corresponde a uma recusa de se prosternar diante da realidade; foi assim até agora e assim é hoje; mas não deve permanecer assim e assim não continuará. Dar-se-ão ouvidos a exigências do homem como homem, exigências frequentemente ocultadas e reduzidas de importância, afastadas e negligenciadas. A decisão cabe a cada indivíduo.

Estaremos, talvez, transformando em virtude a trágica ausência de uma filosofia genial em nosso tempo? Não, a experiência de nossa própria mediocridade, do homem que, embora simples homem, pode compreender os grandes homens do passado, apropriar-se do que realizaram, aproximar-se deles, cheio de respeito, mas sem divinizá-los – essa experiência é encorajadora. O que está a nosso alcance está ao alcance de todos ou de quase todos, bastando que verdadeiramente o queiram.

Há, na História, uma grande exceção. Os padres da Igreja cristã considerando que lhes tocava o dever de enunciar a salvação e de praticar obras de amor, dirigiam-se a todos os homens. E encontravam um argumento contra os filósofos gregos no fato de estes só se dirigirem aos eleitos. Lema da Igreja foi: ninguém que deseje crer está excluído. Aquilo que se revela, a plena claridade, nos sublimes pensamentos dos eleitos está contido na fé mais simples.

Contudo, tal solicitude pelas massas é ambivalente: deseja dominá-las e, ao mesmo tempo e no interesse de dominá-las, tolera a mentira e a superstição e se envolve no político. Em razão disso, esse grande exemplo histórico não nos pode servir de modelo.

Outro inimigo da filosofia independente e, portanto, da liberdade do homem é o pensamento pretensamente democrático. Há razão em proclamar: o que não convém a todos deve, um dia, desaparecer. O que não desperta qualquer eco é, *a priori*, desprovido de realidade. Mas é errôneo afirmar: sabemos qual seja essa realidade; o que hoje é, sempre será; o que não atua agora, jamais atuará; o homem não se modifica. Antes, caberia dizer: o que ainda está isolado poderá expandir-se; o que hoje não encontra eco poderá encontrá-lo amanhã; e, principalmente, o que é real para reduzido número de pessoas poderá tornar-se a realidade suprema de uma época e, sob tal forma, perpetuar-se; o que ainda não atingiu as massas poderá penetrá-las no futuro.

Para libertar-se é inevitável que a verdade desça às massas, ao burburinho sonoro e confuso dos homens. A alternativa seria o domínio sobre as massas, a censura, a educação padronizada. E os seres humanos se tornariam matéria-prima para os déspotas.

Na incerteza, uma só coisa permanece: crer na possibilidade de liberdade humana e, alimentando essa crença, conservar-se ligado à Transcendência, sem a qual aquela convicção soçobraria.

6. Continua-se a afirmar que, no mundo, a filosofia está consciente de sua impotência. Desperta poucas respostas e não dispõe de nenhum poder de modelar o mundo; não é, de maneira alguma, um fator da História. Assim pareceu até agora.

Mas a filosofia está longe de ser impotente no que diz respeito ao indivíduo. Aí, ela constitui, muito ao contrário, a grande força que leva o homem a encontrar o caminho para a liberdade. Só ela possibilita a independência interior.

Ganho essa independência exatamente quando e onde pareço completamente dependente, ou seja, quando reconheço que – em minha liberdade, em meu amor, em minha razão – fui dado a mim mesmo. Nenhuma dessas coisas está sob meu poder, eu não as faço surgir. Mas tudo quanto eu fizer surgir delas derivará.

Se atinjo o ponto em que sou dado a mim mesmo, distancio-me de todas as coisas e, inclusive, de mim. Como que de um plano de observação externo a mim – em verdade, inatingível – contemplo o que acontece e o que faço. É como se me fosse preciso atingir aquele plano para mergulhar na realidade histórica. De lá jorra a luz que faz crescer minha liberdade interior. Torno-me independente na medida em que vejo as coisas a essa luz.

Essa independência é uma quietude, sem violência e sem orgulho. Tanto menos soberba quanto mais segura de si mesma. Evidencia-se permanecendo em obscuridade.

Na independência, a liberdade não permanece vazia. Limitar-se a si mesmo não seria independência. A independência quer participar do mundo. Age. Ouve e responde aos apelos da sorte. Não foge às exigências do dia. Quando o destino parece deter as rédeas, ousa envolver-se em situações de risco, na esperança de vir a dominá-las.

Não obstante, aceita sempre critérios que não pode trair porque provêm de sua mesma origem. Traí-los seria aniquilar-se.

7. A independência do filósofo torna-se falsa quando se mescla de orgulho. No homem autêntico, o sentimento de independência sempre se acompanha do sentimento de impotência, o entusiasmo de poder sempre se acompanha do desespero de não poder, a esperança sempre se acompanha de um olhar lançado ao fim. Filosofar dá-nos lucidez total acerca das várias formas de nossa dependência, mas de maneira tal que, em vez de permanecermos esmagados por nossa impotência, encontramos, a partir de nossa independência, meio de recuperação.

Eis dois exemplos de como isso ocorre no pensamento:

a) O quantitativo tem predominância sobre o qualitativo. O universo, no seio do qual, a Terra, com todos os seus habitantes, não passa de um grão de poeira, tem predominância sobre nosso planeta. Na hierarquia em que figuram matéria, vida, alma e espírito, cada um dos estágios tem predominância sobre o seguinte. Ao fim, é a massa que tem preeminência. Diante dela, o indivíduo não conta. Só conta o universo, a matéria, a massa, o que tem peso.

Invertamos, porém, a escala de valores: o que há de mais precioso no universo é o homem; na hierarquia das realidades, é o espírito; entre as massas, o indivíduo como ele próprio; entre as obras da natureza, as criadas pela arte humana. Se julgamos as coisas de maneira diversa, é por sucumbirmos à tentação do quantitativo e renunciarmos ao senso do humano.

b) O conjunto da História – que ninguém pode conhecer, que não precisamos imaginar necessariamente como uma totalidade – avassala-nos. O indivíduo sente-se indefeso. Tudo o que ele é, é determinado por aquele conjunto. E ele deve curvar-se.

Entretanto, o que se passa com a humanidade passa-se como resultado das forças ínfimas de bilhões de indivíduos. Cada um é responsável pelo que faz, pela maneira como vive. Parece-nos que a História não tenha sentido, mas ela está penetrada de razão. E essa razão depende de nós.

Permanece, porém, o fato de que diretamente real para nós é o meio que, de imediato, nos cerca. Nosso primeiro dever é para com ele. Quando desesperamos do futuro, porque não podemos orientar o curso dos acontecimentos, ou quando nos exaurimos em clamores vãos, como se disso dependesse o movimento do universo, estamos esquecendo o que nos toca mais de perto. Afirmamo-nos na realidade desse pequeno mundo que nos cerca. E, através dele, participamos do conjunto.

8. Na época atual, fazemo-nos conscientes de nossa impotência divisando-lhe um ângulo novo. Todos sabemos que a democracia é corrupta no seu operar, embora continue sendo a única via possível para a liberdade. Mais duvidoso é seu alcance entre povos em que ela não tem origem histórica própria.

Satisfazer-se com o milagre econômico é o ópio do mundo livre. O resto do mundo inveja esse milagre, mas não tem as condições capazes de propiciá-lo e lança ao mundo livre a culpa de suas desventuras.

No mundo ocidental, o econômico predomina sobre o político. E isso equivale a dizer que o Ocidente está cavando a própria cova. Nele, a liberdade política se reduz constantemente. É, com frequência, incompreendida. Assiste-se à desaparição do sentimento de liberdade e do espírito de sacrifício.

Em todo o mundo, manifestam-se tendências à ditadura militar e ao totalitarismo, pois a liberdade se degrada. Os povos se fazem presa dos poderosos.

Se continuar, a explosão demográfica levará necessariamente a uma conflagração que exterminará inúmeras vidas humanas.

Os povos de cor (mais de dois terços da humanidade) voltam-se contra os brancos, cheios de ressentimento e com determinação crescente.

A bomba atômica pesa sobre todos nós. Por algum tempo, ela continuará a impedir a grande conflagração que (não sabemos quando) provocará o aniquilamento total, se os homens continuarem a ser o que são hoje.

Até agora, quando Estados, povos ou civilizações pereciam, outros lhes tomavam o posto. Um elemento permanecia – a humanidade. Atualmente, caberia perguntar se a humanidade não está a ponto de cometer suicídio generalizado.

No ínterim, podemos gozar a vida, permanecendo, porém, ao pé do cadafalso. Ou afastamos o perigo mortal ou deveremos estar preparados para a catástrofe.

É escandalosa a tranquilidade do mundo ocidental, tranquilidade baseada na presunção de que essa agradável maneira de viver terá duração indefinida. As consequências das ilusões voluntárias de antes e após 1914 não nos terão ensinado ao que leva essa irresponsabilidade política e moral?

Nossa época vive entre dois abismos. Compete-nos escolher: deixar-nos tombar no abismo da ruína do homem e do universo, com a consequente extinção de toda vida terrena, ou cobrar ânimo para nos transformarmos, dando surgimento ao homem autêntico, ante o qual se abrirão possibilidades infinitas.

9. Em tal contexto, qual o papel da filosofia?

Ensina, pelo menos, a não nos deixarmos iludir. Não permite que se descarte fato algum e nenhuma possibilidade. Ensina a encarar de frente a catástrofe possível. Em meio à serenidade do mundo, ela faz surgir a inquietude. Mas proíbe a atitude tola de considerar inevitável a catástrofe. Com efeito, apesar de tudo, o futuro depende também de nós.

Se fosse vigorosa em sua elaboração, convincente por seus argumentos e digna de fé pela integridade de seus expositores, a filosofia poderia tornar-se instrumento de salvação. Só ela tem o poder de alterar nossa forma de pensamento.

Mesmo diante do desastre possível e total, a filosofia continuaria a preservar a dignidade do homem em declínio. Numa comunidade de destinos, que se apoie na verdade, o homem encara face a face seja o que for.

Não se confunde o declínio com o nada. Em meio ao desastre, a última palavra cabe ao homem, que ama e conserva confiança incompreensível no fundamento das coisas.

Para falar sob forma de enigma: a origem de que brotaram o universo, a terra, a vida, o homem e a História encerra possibilidades que nos são inacessíveis. Enfrentando de frente o desastre, asseguramo-nos dessas possibilidades.

Fazemos uma tentativa, à qual outras hão de seguir-se, continuadamente. Mas, presentes, por um instante, nessa tentativa, o amor e a verdade atestam tratar-se de mais que uma tentativa. Uma palavra de eternidade foi pronunciada.

Nenhum pensamento suscetível de ser concretizado, nenhum conhecimento, nada de fisicamente tangível, nenhum dos enigmas por nós mencionados pode adentrar a eternidade.

Mas, para além de todos os enigmas, o pensamento penetra no silêncio pleno de insondável razão.